Dinosa

SAUROPELTA

IGUANODON

DENT
DE *MEGALOSAURUS*

Dinosaures

Texte
Neil Clark
William Lindsay

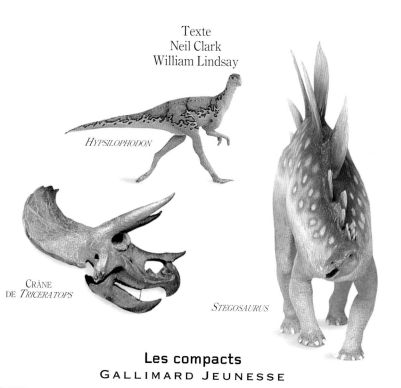

HYPSILOPHODON

CRÂNE
DE *TRICERATOPS*

STEGOSAURUS

Les compacts
GALLIMARD JEUNESSE

Pour l'édition originale :
Dorling Kindersley Limited
Copyright © 1995-2002 Dorling Kindersley Ltd., London
Édition originale parue en 2002
sous le titre *Backpack books Dinosaurs*,
précédemment publiée en 1995
sous le titre *Pockets Dinosaurs*

Pour l'édition française :
Remise en page : Barbara Kekus, Octavo
Maquette de couverture :
Marguerite Courtieu
Responsable éditorial : Thomas Dartige
Édition : Eric Pierrat, Clotilde Grison et Anne-Flore Durand
Photogravure de couverture et flashage : Scan+

COMMENT ACCÉDER AU SITE INTERNET DU LIVRE

1 - SE CONNECTER
Tapez l'adresse du site dans votre navigateur puis laissez-vous guider jusqu'au livre qui vous intéresse :
http://www.decouvertes-gallimard-jeunesse.fr/g+
2 - CHOISIR UN MOT CLÉ DANS LE LIVRE ET LE SAISIR SUR LE SITE
Vous ne pouvez utiliser que les mots clés du livre (inscrits dans les puces grises) pour faire une recherche.
3 - CLIQUER SUR LE LIEN CHOISI
Pour chaque mot clé du livre, une sélection de liens Internet vous est proposée par notre site.
4 - TÉLÉCHARGER DES IMAGES
Une galerie de photos est accessible sur notre site pour ce livre. Vous pouvez y télécharger des images libres de droits pour un usage personnel et non commercial.

IMPORTANT
· Demandez toujours la permission à un adulte avant de vous connecter au réseau Internet.
· Ne donnez jamais d'informations sur vous.
· Ne donnez jamais rendez-vous à quelqu'un que vous avez rencontré sur Internet.
· Si un site vous demande de vous inscrire avec votre nom et votre adresse e-mail, demandez d'abord la permission à un adulte.
· Ne répondez jamais aux messages d'un inconnu, parlez-en à un adulte.

NOTE AUX PARENTS : Gallimard Jeunesse vérifie et met à jour régulièrement les liens sélectionnés, leur contenu peut cependant changer. Gallimard Jeunesse ne peut être tenu pour responsable que du contenu de son propre site. Nous recommandons que les enfants utilisent Internet en présence d'un adulte, ne fréquentent pas les *chats* et utilisent un ordinateur équipé d'un filtre pour éviter les sites non recommandables.

ISBN 978-2-07-061784-5
Copyright © 2003 Gallimard Jeunesse
Copyright © 1995 Hachette Livre pour la traduction
Loi n° 49-956 du 16 juillet 1949
sur les publications destinées à la jeunesse
Dépôt légal : janvier 2008
Numéro d'édition : 155727

Photogravure Colourscan, Singapour
Imprimé par Star Standard à Singapour

SOMMAIRE

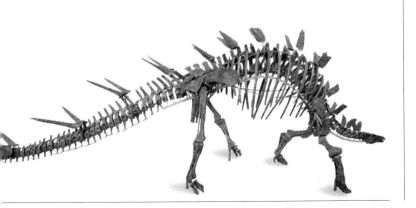

COMMENT UTILISER CE LIVRE

La première partie du livre présente les caractéristiques
générales des dinosaures ; puis deux parties sont
consacrées aux deux principaux groupes de dinosaures,
une autre aux reptiles n'appartenant pas au groupe des
dinosauriens. Et si vous voulez "en savoir plus", le livre
se termine par des pages pratiques.

Titre

DEUX GRANDS GROUPES
Les dinosaures sont
divisés en deux groupes
principaux : les
saurischiens et les
ornithischiens. Un
chapitre à part est
consacré aux reptiles
marins et volants qui
vivaient à la même
époque.

Introduction

LE TITRE
Il nomme le sujet de la
page. Si le sujet se
poursuit sur plusieurs
pages, le titre apparaît en
tête de chacune d'elles.

*Légende
fléchée*

Légende

L'INTRODUCTION
Elle constitue une vue
d'ensemble du sujet
traité. Après l'avoir lue,
vous aurez une idée claire
du contenu des pages.

LES CÉRATOPSIENS

Cornes, collerette osseuse et bec
de perroquet étaient les signes
distinctifs des cératopsiens.
Tous quadrupèdes et herbivores,
ils vivaient en hordes nombreuses.
Les cératopsiens peuvent être divisées
en deux groupes : les longues collerettes
et les collerettes courtes. Ils furent les derniers
dinosaures à disparaître.

CRÂNE DE
PSITTACOSAURE

Psittacosaurus
devait se nourrir
à quatre pattes
quand il cherchait
sa nourriture.

PSITTACOSAURUS
Cet ancêtre bipède des cératopsiens
mesurait 2 m de long.
Comme eux il avait
un bec de perroquet
et une toute
petite collerette,
mais il n'avait
pas de corne.

118

Échelle

LES LÉGENDES
Pour plus de clarté, un titre identifie
les illustrations quand elles ne sont
pas reliées au texte de façon évidente.

8

LES TITRES

En marge de la page de gauche figure le sujet traité et en marge de la page de droite le titre du chapitre. Par exemple cette page sur les cératopsiens se trouve dans le chapitre sur les ornithischiens.

DES ENCADRÉS

Ils vous rappellent d'un coup d'œil les détails remarquables ou étonnants propres au sujet traité.

ÉCHELLE

La silhouette humaine qui figure à côté des dinosaures représente 1,80 m.

Encadré   *Titres*

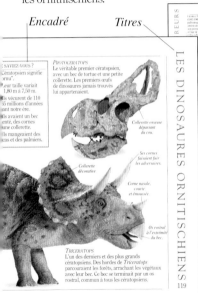

EN SAVOIR PLUS

À la fin du livre, ces pages vous proposent des informations pratiques, des chiffres et des tableaux, par exemple les records de poids et de taille, ou les mythes concernant les dinosaures.

LES LÉGENDES FLÉCHÉES

En italique, elles soulignent les détails auxquels elles sont reliées par un filet. Elles complètent le texte qui commente chaque illustration.

INDEX

Pour faciliter vos recherches, un index alphabétique achève les pages pratiques : vous y trouverez tous les noms de dinosaures et tous les sujets traités dans le livre.

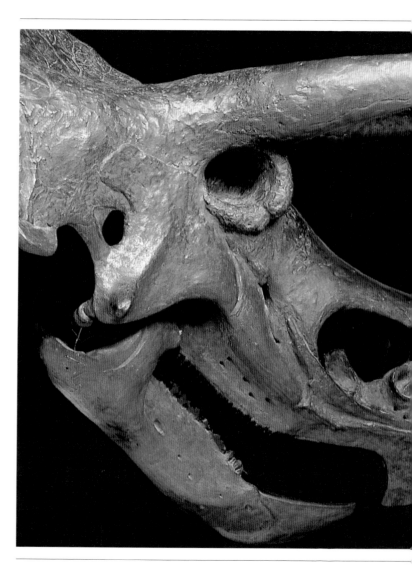

CARACTÉRISTIQUES GÉNÉRALES

Qu'est-ce qu'un dinosaure ?

Il y a environ 225 millions d'années apparaissait sur terre un nouveau groupe de reptiles. Leur peau était écailleuse et imperméable et leurs petits naissaient dans des œufs. C'étaient les dinosaures. Ils régnèrent 160 millions d'années sur la planète, puis disparurent.

Cou aux muscles puissants pour arracher la chair des proies.

Des pattes de terriens

Animaux terrestres, les dinosaures ne volaient pas et ne nageaient pas. Tous possédaient quatre membres, mais beaucoup, comme *Tyrannosaurus rex*, marchaient sur les pattes arrière, réservant les pattes avant à d'autres fonctions.

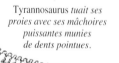

Tyrannosaurus tuait ses proies avec ses mâchoires puissantes munies de dents pointues.

Doigts griffus

TYRANNOSAURUS REX
(À BASSIN DE LÉZARD)

Deux groupes de dinosaures

Les saurischiens ont un bassin de lézard, les ornithischiens, un bassin d'oiseau. Chez les saurischiens, les os du bassin sont divergents : pubis dirigé vers le bas et vers l'avant, ischion dirigé vers le bas et vers l'arrière. Chez les ornithischiens, les os du bassin sont orientés dans la même direction, vers le bas et vers l'arrière.

Dinosaures

IGUANODON
(À BASSIN D'OISEAU)

Période	Millions d'années	Exemple de dinosaures pour chaque période	
CRÉTACÉ	65-145		Triceratops
JURASSIQUE	65-145		Stegosaurus
TRIAS	208-245		Herrerasaurus

IL Y A DES MILLIONS D'ANNÉES
Différentes espèces de dinosaures ont peuplé la Terre pendant trois périodes géologiques de son histoire : le Trias, le Jurassique et le Crétacé. Chaque espèce a pu survivre de 2 à 3 millions d'années.

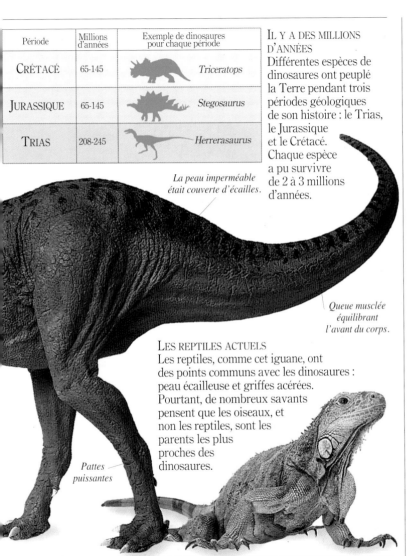

La peau imperméable était couverte d'écailles.

Queue musclée équilibrant l'avant du corps.

LES REPTILES ACTUELS
Les reptiles, comme cet iguane, ont des points communs avec les dinosaures : peau écailleuse et griffes acérées. Pourtant, de nombreux savants pensent que les oiseaux, et non les reptiles, sont les parents les plus proches des dinosaures.

Pattes puissantes

13

Types de dinosaures

Il en existait toutes sortes :
des sauropodes, les plus grands animaux
terrestres ayant jamais existé, aux plus
petits dinosaures de la taille d'un poulet.
Grands ou petits, tous devaient se méfier
des carnivores affamés. Certains avaient
une carapace de protection, d'autres n'avaient
que leurs pattes pour échapper
aux prédateurs.

DES DINOSAURES
EFFRAYANTS
Tyrannosaurus rex
et d'autres féroces
carnivores avaient
d'énormes dents acérées

UN DES PLUS GROS
Il pesait autant que huit éléphants
et mesurait plus de 24 m de long :
le sauropode *Barosaurus* était
l'un des plus grands dinosaures.

LES HERBIVORES
Les dinosaures comptaient plus
d'herbivores que de carnivores.
Parmi les premiers, *Stegosaurus*
avait un bec tranchant
pour cueillir les feuilles
des plantes.

*La queue
de* Barosaurus
*mesurait environ
13 m de long.*

Compsognathus
*arrivait à peine à la
cheville de* Barosaurus.

14

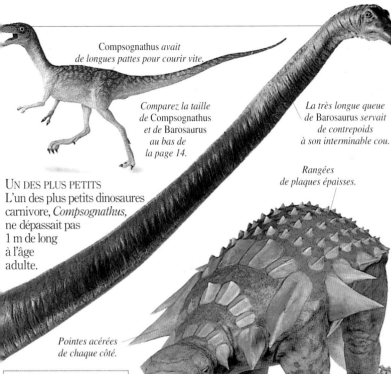

Compsognathus *avait de longues pattes pour courir vite.*

Comparez la taille de Compsognathus *et de* Barosaurus *au bas de la page 14.*

La très longue queue de Barosaurus *servait de contrepoids à son interminable cou.*

Rangées de plaques épaisses.

UN DES PLUS PETITS
L'un des plus petits dinosaures carnivore, *Compsognathus,* ne dépassait pas 1 m de long à l'âge adulte.

Pointes acérées de chaque côté.

LE SAVIEZ-VOUS ?

• Les dinosaures comptaient 30 herbivores pour 1 carnivore.

• Les plus rapides, les théropodes, couraient sur deux pattes.

• Ils ne savaient ni voler ni nager.

• Les plus grands étaient les sauropodes.

Pattes trapues

HÉRISSÉ DE PIQUANTS
Une cuirasse protégeait les ankylosaures des carnivores aux dents acérées. *Edmontonia,* l'un de ces herbivores à la lente démarche, avait le corps couvert de plaques osseuses et de piquants, protection indispensable dans le voisinage de *Tyrannosaurus rex.*

D'autres types de dinosaures

Nous ne saurons jamais combien d'espèces de dinosaures ont existé pendant ces 160 millions d'années. Ce que nous savons, c'est que certains restes fossiles appartiennent non pas à des dinosaures mais à des espèces voisines marines ou volantes.

Iguanodon mesurait environ 9 m de long.

Mâchoires puissantes pour broyer les végétaux.

Bras servant parfois à marcher.

Iguanodòn se déplaçait en troupeau.

Cou flexible

Longues mâchoires

Griffe crochue à chaque main.

Baryonyx marchait sur deux pattes.

Baryonyx mesurait environ 10 m.

UN DES PLUS RÉPANDUS *Iguanodon* est un dinosaure assez commun. Entre 1878 et 1881, des mineurs belges ont trouvé plus de 39 squelettes au même endroit.

UN DES PLUS RARES Parmis les dinosaures connus *Baryonyx* est l'un des plus rares. Un seul spécimen de ce carnivore aux griffes crochues a été trouvé à ce jour.

16

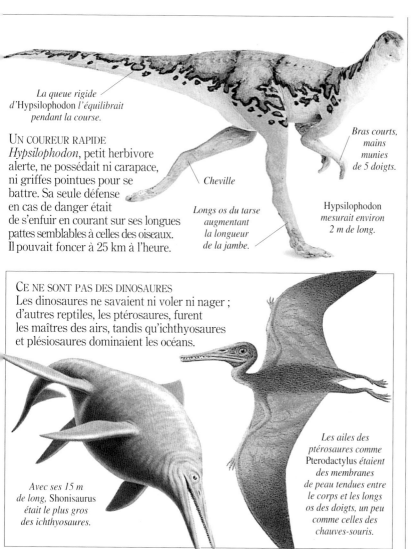

*La queue rigide d'*Hypsilophodon *l'équilibrait pendant la course.*

UN COUREUR RAPIDE
Hypsilophodon, petit herbivore alerte, ne possédait ni carapace, ni griffes pointues pour se battre. Sa seule défense en cas de danger était de s'enfuir en courant sur ses longues pattes semblables à celles des oiseaux. Il pouvait foncer à 25 km à l'heure.

Bras courts, mains munies de 5 doigts.

Cheville

Longs os du tarse augmentant la longueur de la jambe.

Hypsilophodon *mesurait environ 2 m de long.*

CE NE SONT PAS DES DINOSAURES
Les dinosaures ne savaient ni voler ni nager ; d'autres reptiles, les ptérosaures, furent les maîtres des airs, tandis qu'ichthyosaures et plésiosaures dominaient les océans.

Les ailes des ptérosaures comme Pterodactylus *étaient des membranes de peau tendues entre le corps et les longs os des doigts, un peu comme celles des chauves-souris.*

Avec ses 15 m de long, Shonisaurus *était le plus gros des ichthyosaures.*

17

DÉCOUVRONS LES DINOSAURES

Tout ce que nous savons des dinosaures vient de leurs restes fossilisés, assemblés pour reconstituer les squelettes que nous voyons dans les musées. C'est Sir Richard Owen, célèbre spécialiste des dinosaures, qui fut le premier à les nommer ainsi en 1841.

SIR RICHARD OWEN
(1804-1892)

Les fossiles

Restes de plantes ou d'animaux ensevelis et conservés dans la roche, ils sont composés des parties dures du corps de l'animal, les os par exemple, ou des parties ligneuses des plantes. La fossilisation est un processus très lent qui dure des millions d'années.

COQUILLE D'ŒUF
DE SAUROPODE

DES DENTS DURES
La surface usée des dents fossiles montre les modes d'alimentation propres à chaque dinosaure.

COQUILLE D'ŒUF
La coquille des œufs de dinosaure était assez résistante pour être fossilisée.

ANTIQUES
POMMES DE PIN
Elles datent du Crétacé. Leur dureté a permis leur fossilisation.

DENT DE
SAUROPODE

POMMES
DE PIN FOSSILES

FIBULA
(PÉRONÉ)
D'IGUANODON

OS FOSSILISÉS
Pendant la fossilisation des os, un lent processus chimique capture chaque détail de leur structure intérieure et de leur forme. Même si l'os est fendu ou écrasé, on peut identifier les points d'insertion des muscles.

Fossile

1 HISTOIRE D'UN FOSSILE DE DINOSAURE *Struthiomimus* gît, mort, au bord d'une rivière. Pour être fossilisé, il doit vite être enseveli, avant que son corps ne pourrisse.

2 Des millions d'années sous plusieurs couches de sédiment, les parties dures de *Struthiomimus* se sont fossilisées.

La fossilisation se produit surtout dans des limons ou de l'argile recouverte d'eau.

Os minces

Bassin de saurischien

Il est rare de trouver un squelette entier parfaitement conservé.

Long membre postérieur

3 Les mouvements de la terre et l'érosion font remonter le squelette vers la surface. Un chercheur commence à dégager sa découverte.

UN FOSSILE MAGNIFIQUE
Un fossile presque parfait de *Struthiomimus*, allongé dans la position de sa mort, a été dégagé avec précaution. L'étude de ce squelette éclaircit bien des mystères.

La préparation des dinosaures

Pendant que les paléontologues étudient le mode de vie des dinosaures, les musées présentent des squelettes dans des positions variées. Des scientifiques du Muséum d'histoire naturelle de New York ont imaginé une scène passionnante : un squelette de *Barosaurus* debout sur ses pattes arrière, défendant ses petits contre une attaque d'*Allosaurus*. Les os fossilisés de *Barosaurus* étaient trop fragiles et trop lourds pour résister à une telle position, aussi ils en réalisèrent une copie plus légère.

LA TECHNIQUE DU MOULAGE
Le moulage d'un os est réalisé en appliquant une couche de caoutchouc liquide sur la surface de l'os. Quand il a pris, on le sectionne pour le détacher de l'os. On le maintient ensuite avec de la gaze entourée d'une protection de plastique.

COULER LE MOULE
L'intérieur du moule de caoutchouc est enduit de plastique liquide et renforcé par des feuilles de fibre de verre. La forme de l'os ainsi reconstituée est remplie de mousse synthétique.

FINITIONS
Les bords rugueux des joints de l'os moulé sont adoucis à la lime. Puis le moulage est peint de la couleur de l'os.

Paléontologie
animale

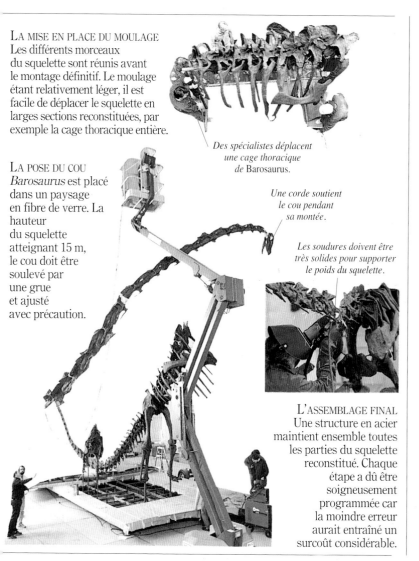

LA MISE EN PLACE DU MOULAGE
Les différents morceaux
du squelette sont réunis avant
le montage définitif. Le moulage
étant relativement léger, il est
facile de déplacer le squelette en
larges sections reconstituées, par
exemple la cage thoracique entière.

*Des spécialistes déplacent
une cage thoracique
de Barosaurus.*

LA POSE DU COU
Barosaurus est placé
dans un paysage
en fibre de verre. La
hauteur
du squelette
atteignant 15 m,
le cou doit être
soulevé par
une grue
et ajusté
avec précaution.

*Une corde soutient
le cou pendant
sa montée.*

*Les soudures doivent être
très solides pour supporter
le poids du squelette.*

L'ASSEMBLAGE FINAL
Une structure en acier
maintient ensemble toutes
les parties du squelette
reconstitué. Chaque
étape a dû être
soigneusement
programmée car
la moindre erreur
aurait entraîné un
surcoût considérable.

Mise en scène des dinosaures

Les dinosaures restent l'attraction la plus populaire de bien des collections d'histoire naturelle. On en trouve dans les musées du monde entier, où les scientifiques stockent les fossiles pour les étudier.

CONSERVATION DES FOSSILES
Les musées n'exposent qu'une partie des fossiles en leur possession. Ils en ont souvent des milliers à l'abri dans des réserves.

UN SQUELETTE GRANDEUR NATURE
Scientifiques et personnels des musées coopèrent pour reconstituer les squelettes destinés à être exposés, comme cette copie de *Tyrannosaurus rex*. Ces reconstitutions grandeur nature nous donnent une idée de ce qu'ont pu être les dinosaures. Elles sont particulièrement saisissantes quand il s'agit de géants comme *Tyrannosaurus*.

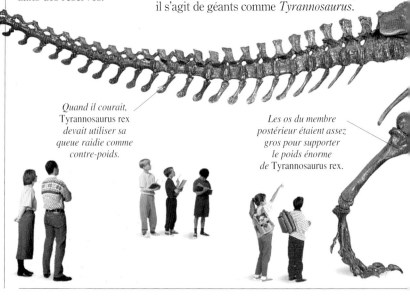

Quand il courait, Tyrannosaurus rex devait utiliser sa queue raidie comme contre-poids.

Les os du membre postérieur étaient assez gros pour supporter le poids énorme de Tyrannosaurus rex.

FICTION

De nombreux films et livres mettent en présence les dinosaures et les hommes, bien que l'homme soit apparu sur la terre 64 millions d'années après l'extinction des derniers dinosaures. Malgré tout, ces anachronismes nous font prendre conscience de l'existence de ces animaux fascinants.

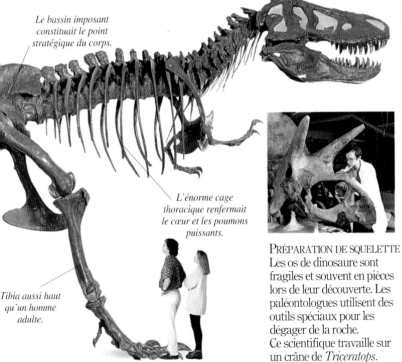

Le bassin imposant constituait le point stratégique du corps.

L'énorme cage thoracique renfermait le cœur et les poumons puissants.

Tibia aussi haut qu'un homme adulte.

PRÉPARATION DE SQUELETTE

Les os de dinosaure sont fragiles et souvent en pièces lors de leur découverte. Les paléontologues utilisent des outils spéciaux pour les dégager de la roche. Ce scientifique travaille sur un crâne de *Triceratops*.

LE MONDE DES DINOSAURES

Notre planète n'a pas toujours été telle que nous la connaissons. La constante dérive des continents en a modifié graduellement l'aspect. Le Trias, le Jurassique et le Crétacé donnaient chacun une image bien différente de la terre. Des montagnes se sont formées, l'érosion a transformé le relief ; des plantes et des animaux sont apparus et ont disparu, parmi lesquels les dinosaures.

Les mouvements de la terre

La croûte terrestre (couche superficielle) est composée de plaques massives qui se déplacent au-dessus d'une zone de roches en fusion. Des millions d'années de mouvements ont éloigné et rapproché les continents pour former l'actuel relief.

Le choc entre deux plaques forme des chaînes montagneuses.

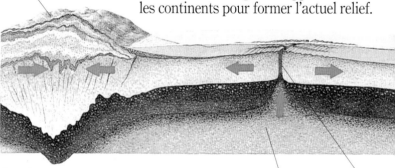

LE DÉPLACEMENT DES PLAQUES
Les plaques entrent parfois en collision, entraînant la formation de chaînes de montagnes. Elles peuvent aussi se séparer : le manteau se soulève alors entre les plaques, refroidit, et forme une nouvelle croûte terrestre.

La zone de roches à demi fondues, sous la croûte terrestre, est appelée le manteau.

Le manteau remonte pour former une nouvelle croûte.

Tectonique

*Bord
d'une
plaque*

*Le mouvement
des plaques est
appelé dérive
des continents.*

CARTE MONDIALE
DES PLAQUES

LA RÉPARTITION DES PLAQUES
Il y a neuf plaques principales
et plusieurs plus petites. Elles sont
constamment en mouvement,
et se déplacent de quelques
centimètres par an.

*Masse unique
des terres*

LE MONDE AU TRIAS
Au Trias, quand
les dinosaures apparurent,
toutes les terres étaient
attachées les unes aux
autres, formant un super-
continent : la Pangée.

*Mer de
Téthys*

*Masses terrestres
composant la
Laurasie au nord.*

LE MONDE AU JURASSIQUE
Au Jurassique, la Pangée
s'est progressivement
divisée en deux
continents. la Laurasie,
au nord, formée de vastes
masses de terres et d'îles
plus petites. Au sud,
le Gondwana.

Gondwana

*Il arrive qu'une
plaque glisse
sous une autre.*

*Cette massse continentale
est devenue
l'Amérique du Sud.*

LE MONDE AU CRÉTACÉ
Vers la fin du Crétacé les
continents se sont divisés.
Les plaques se sont heurtées,
formant des chaînes
montagneuses comme
les montagnes Rocheuses
en Amérique du Nord.

Le Trias

Le Trias est la première période de l'ère mésozoïque, qui a duré jusqu'à la fin du Crétacé. Au Trias apparurent les premiers dinosaures, agiles carnivores qui évoluèrent rapidement. Certains devinrent herbivores. Au cours de cette période des petits mammifères firent aussi leur apparition, ainsi que des reptiles volants : les ptérosaures.

@IN
Ère mésozoïque

ORNITHOSUCHUS

COELOPHYSIS

LA VIE VÉGÉTALE
Les plus grands arbres étaient les conifères. Ils formaient d'immenses forêts, avec les cycas et les fougères qui nourrissaient les animaux plus petits.

CYCAS

CROCODILES

PLATEOSAURUS

LA VIE AÉRIENNE
Cousins des dinosaures,
les ptérosaures étaient les seuls
reptiles volants ayant jamais
existé. Ils survolaient les forêts
de conifères, se nourrissant
d'insectes. Ils devaient aussi
voler au ras des rivières et des
mers pour attraper du poisson.

Ce ptérosaure,
Preondactylus,
*avait une envergure
d'environ 1,50 m.*

MELANOSAURUS

DICYNODONTES

PLATEOSAURUS

HERRERASAURUS

CHEZ LES DINOSAURES
Les herbivores, comme
Plateosaurus, se multiplièrent,
vivant dans la terreur des dinosaures
comme *Herrerasaurus*. D'autres reptiles,
comme les dicynodontes (qui ressemblaient
à des porcs) côtoyaient les dinosaures.

Le Jurassique

Au début du Jurassique, les dinosaures herbivores étaient
surtout des prosauropodes et des petits ornithopodes. À la fin
du Jurassique, des troupeaux de sauropodes géants parcouraient
la terre. Comme les autres reptiles et mammifères,
ils se nourrissaient de la végétation luxuriante. Les premiers oiseaux
apparurent, mais les ptérosaures restèrent les maîtres des airs.

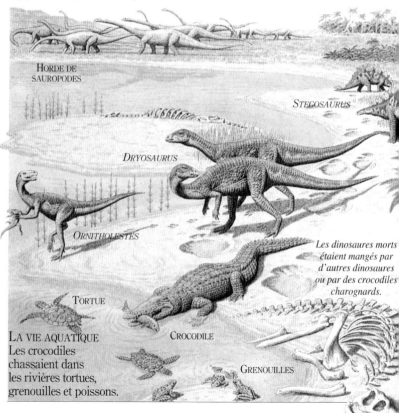

HORDE DE
SAUROPODES

STEGOSAURUS

DRYOSAURUS

ORNITHOLESTES

*Les dinosaures morts
étaient mangés par
d'autres dinosaures
ou par des crocodiles
charognards.*

TORTUE

CROCODILE

LA VIE AQUATIQUE
Les crocodiles
chassaient dans
les rivières tortues,
grenouilles et poissons.

GRENOUILLES

LA VIE VÉGÉTALE
Cycas, conifères et ginkgos dominaient
dans les forêts. Fougères et prêles
constituaient une épaisse
couverture du sol.

CHEZ LES DINOSAURES
…ait l'époque des dinosaures géants
… à part le minuscule *Compsognathus*.
… hordes de sauropodes traversaient les plaines,
…nourrissant à la cime des arbres. De féroces
…nosaures, comme *Allosaurus*, s'attaquaient
… herbivores comme *Stegosaurus*.

Le Crétacé

Au Crétacé, Amérique du Nord, Europe et Asie formaient
encore un vaste continent, la Laurasie. Les dinosaures
herbivores, les cératopsiens et les Hadrosauridés, paissaient
dans les plaines marécageuses. Les sauropodes géants
disparaissaient. Au Crétacé supérieur apparurent les
terrifiants Tyrannosauridés. Ils furent
les prédateurs dominants jusqu'à
l'extinction des dinosaures,
à la fin de cette période.

POLACANTHUS

CROCODILE

BARYONYX

CRIQUET

BLATTE

LIBELLULE

SCARABÉE

CHEZ LES DINOSAURES
Les petits herbivores étaient les plus
nombreux. Les carnivores comme
Baryonyx mangeaient du poisson, et les
Tyrannosauridés les autres dinosaures.

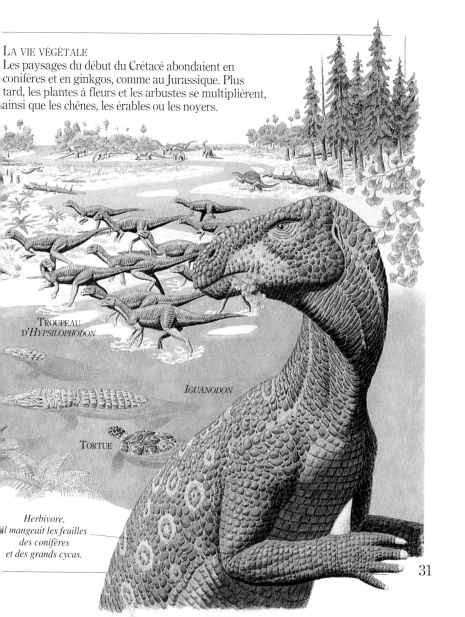

LA VIE VÉGÉTALE
Les paysages du début du Crétacé abondaient en
conifères et en ginkgos, comme au Jurassique. Plus
tard, les plantes à fleurs et les arbustes se multiplièrent,
ainsi que les chênes, les érables ou les noyers.

TROUPEAU
D'*HYPSILOPHODON*

IGUANODON

TORTUE

*Herbivore,
il mangeait les feuilles
des conifères
et des grands cycas.*

31

Les dinosaures aujourd'hui

On a trouvé des restes de dinosaures sur tous les continents, et de nouveaux fossiles sont sans cesse découverts, au cours d'expéditions paléontologiques, de fouilles d'amateurs ou par hasard sur des chantiers et dans des mines. Cette carte du monde moderne indique les emplacements des découvertes les plus importantes.

AMÉRIQUE DU NORD

Les expéditions s'y succèdent depuis que des roches datant de l'époque des dinosaures ont été mises au jour dans de nombreuses régions.
Y furent découverts :

- *Allosaurus*
- *Triceratops*
- *Deinonychus*
- *Camarasaurus*
- *Parasaurolophus*
- *Corythosaurus*
- *Stegosaurus*
- *Apatosaurus*
- *Coelophysis*

AMÉRIQUE DU SUD

C'est d'Argentine et du Brésil que proviennent les plus belles découvertes, dont certains des plus anciens dinosaures connus.
Y furent découverts :

- *Saltasaurus*
- *Herrerasaurus*
- *Patagosaurus*
- *Staurikosaurus*
- *Pianitzkyosaurus*

ANTARCTIQUE

Son climat était plus chaud à l'époque des dinosaures. On y découvrit les restes de plusieurs petits dinosaures du Crétacé, dont un parent du petit ornithopode *Hypsilophodon.*

Géographie

EUROPE

C'est là, au XIXᵉ siècle, que pour la première fois des fossiles de dinosaures furent répertoriés et que le mot "dinosaure" fut utilisé. Y furent découverts :

- *Hypsilophodon*
- *Iguanodon*
- *Plateosaurus*
- *Baryonyx*
- *Compsognathus*
- *Eustreptospondylus*

ASIE

Le désert de Gobi nous a révélé un extraordinaire gisement de fossiles de dinosaures. L'Inde et la Chine en réservent encore aux scientifiques. Y furent découverts :

- *Velociraptor*
- *Oviraptor*
- *Protoceratops*
- *Tuojiangosaurus*
- *Mamenchisaurus*
- *Gallimimus*

AUSTRALIE ET NOUVELLE-ZÉLANDE

De nombreux fossiles viennent d'Australie, un seul – le théropode – de Nouvelle-Zélande. De nombreux sites riches en dinosaures fossilisés restent probablement inconnus. Y furent découverts :

- *Muttaburrasaurus*
- *Leaellynosaurus*
- *Austrosaurus*
- *Rhoetosaurus*
- *Minmi*

AFRIQUE

Continent riche en fossiles de dinosaures ; les découvertes les plus importantes ont eu lieu en Tanzanie. Y furent découverts :

- *Spinosaurus*
- *Brachiosaurus*
- *Barosaurus*
- *Massospondylus*

ANATOMIE DES DINOSAURES

La taille et la forme de la tête, du corps et des pattes permettent de différencier les dinosaures et leur mode de vie. Du squelette à la peau écailleuse, chaque partie de leur anatomie nous aide à construire une image de ces animaux fascinants.

Un corps puissant

Les muscles des épaules et du bassin étaient des structures primordiales pour les coureurs vifs et légers comme pour les pesants herbivores. Les plus grands n'étaient pas toujours les plus puissants. Les petits étaient parfois les meilleurs coureurs.

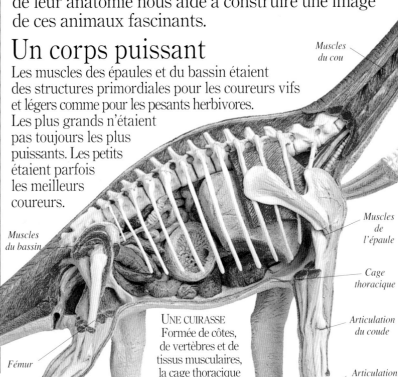

Muscles du cou

Muscles du bassin

Muscles de l'épaule

Cage thoracique

Articulation du coude

Fémur

UNE CUIRASSE
Formée de côtes, de vertèbres et de tissus musculaires, la cage thoracique protégeait les organes vitaux internes de *Brachiosaurus.*

Tibia

Articulation du poignet

Doigt

@▸▸
Anatomie
animale

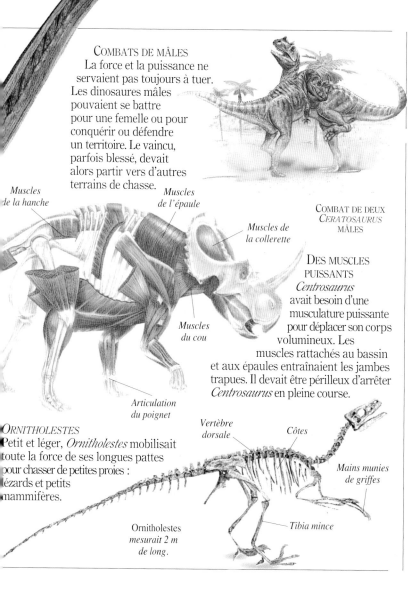

COMBATS DE MÂLES
La force et la puissance ne servaient pas toujours à tuer. Les dinosaures mâles pouvaient se battre pour une femelle ou pour conquérir ou défendre un territoire. Le vaincu, parfois blessé, devait alors partir vers d'autres terrains de chasse.

Muscles de la hanche

Muscles de l'épaule

Muscles de la collerette

COMBAT DE DEUX
CERATOSAURUS
MÂLES

DES MUSCLES
PUISSANTS
Centrosaurus
avait besoin d'une musculature puissante pour déplacer son corps volumineux. Les muscles rattachés au bassin et aux épaules entraînaient les jambes trapues. Il devait être périlleux d'arrêter *Centrosaurus* en pleine course.

Muscles du cou

Articulation du poignet

ORNITHOLESTES
Petit et léger, *Ornitholestes* mobilisait toute la force de ses longues pattes pour chasser de petites proies : lézards et petits mammifères.

Vertèbre dorsale

Côtes

Mains munies de griffes

Tibia mince

Ornitholestes mesurait 2 m de long.

Des têtes impressionnantes

Crêtes, collerettes, cornes et piquants ornaient la tête de nombreux dinosaures, les aidaient à se reconnaître et parfois à communiquer entre eux. Le vainqueur d'un combat était peut-être celui qui avait la tête la plus impressionante. Les herbivores à cornes devaient utiliser cette arme contre les carnivores affamés.

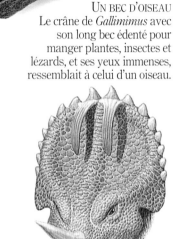

Orbite énorme

Mâchoires édentées

UN BEC D'OISEAU
Le crâne de *Gallimimus* avec son long bec édenté pour manger plantes, insectes et lézards, et ses yeux immenses, ressemblait à celui d'un oiseau.

La taille de la crête était peut-être considérée comme un signe de force.

Mâchoire puissante

TÊTE DE *CENTROSAURUS*

LA CRÊTE
On suppose qu'*Oviraptor* utilisait sa crête pour communiquer. Bien qu'édentées, ses mâchoires munies d'un bec pouvaient broyer un crustacé.

CORNES ET COLLERETTES
Les cératopsiens avaient des têtes ornées de collerettes et de cornes variées. Ils s'en servaient probablement pour effrayer leurs ennemis ou pour séduire leurs partenaires.

UN CRÂNE SOLIDE
L'énorme tête d'*Albertosaurus*
était faite pour résister au
choc quand il se jettait gueule
ouverte sur ses proies :
les mâchoires
impressionnantes
étaient pourvues
de dents meurtrières
et des cavités à l'intérieur
du crâne abritaient
des muscles énormes.

Fosse pour les muscles

Narines

Dents énormes

Mandibule puissante

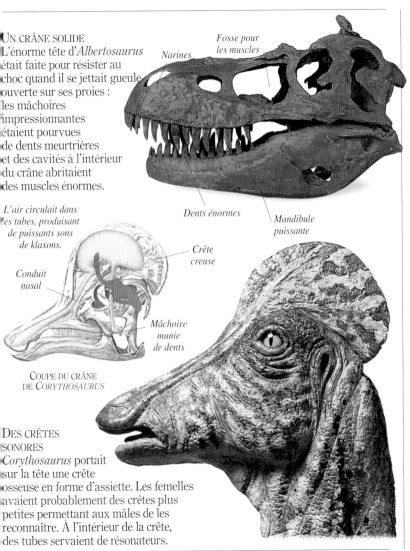

L'air circulait dans les tubes, produisant de puissants sons de klaxons.

Crête creuse

Conduit nasal

Mâchoire munie de dents

COUPE DU CRÂNE
DE *CORYTHOSAURUS*

**DES CRÊTES
SONORES**
Corythosaurus portait
sur la tête une crête
osseuse en forme d'assiette. Les femelles
avaient probablement des crêtes plus
petites permettant aux mâles de les
reconnaître. À l'intérieur de la crête,
des tubes servaient de résonateurs.

Des cous
de toutes les longueurs

Le cou pour les dinosaures était une voie vitale
entre la tête et le corps. La nourriture y passait de
la bouche à l'estomac, l'air suivait la trachée entre
les narines et les poumons ; les nerfs assuraient
le va-et-vient des messages du cerveau au corps,

VERTÈBRE
CERVICALE
DE *BAROSAURUS*

et le sang traversait les veines
et les artères. Tous ces circuits vitaux,
ainsi que les muscles puissants, étaient
soutenus par les vertèbres cervicales.

LONG ET FLEXIBLE
Le cou interminable et souple des herbivores
comme *Barosaurus* leur permettait de se nourrir
sans changer de place, en balayant une vaste
surface de végétation basse. Il pouvait aussi
atteindre les cimes des arbres.

*Point
d'insertion
des muscles.*

*Le cou de
Barosaurus
mesurait
9 m de long.*

PUISSANT ET LÉGER
Le long cou de *Diplodocus* était
constitué de 15 vertèbres comportant
des cavités qui les allégeaient sans
les affaiblir. Une entaille au sommet
de la vertèbre laissait passer un ligament
qui soutenait le cou à la manière des câbles
métalliques d'un pont suspendu.

COURT ET TRAPU

Le cou du féroce et terrifiant carnivore *Allosaurus* était court et robuste. Les vertèbres très compactes donnaient au cou sa courbure et sa mobilité. Quand *Allosaurus* mordait une proie, les puissants muscles du cou soulevaient la tête massive et la tiraient en arrière, arrachant des lambeaux de chair.

Courbure du cou

Mâchoires puissantes, dents énormes et acérées.

COMME UNE AUTRUCHE

Gallimimus portait la tête haute au-dessus des épaules comme le fait l'autruche. Il pouvait ainsi faire pivoter sa tête sur son long cou et voir dans toutes les directions.

Le poids du crâne pouvait dépasser 50 kg.

Cou très court

Long cou souple

LE SUPPORT DE LA TÊTE

Triceratops arborait une solide collerette osseuse à l'arrière du crâne. Seul un cou court et très puissant pouvait en supporter le poids.

39

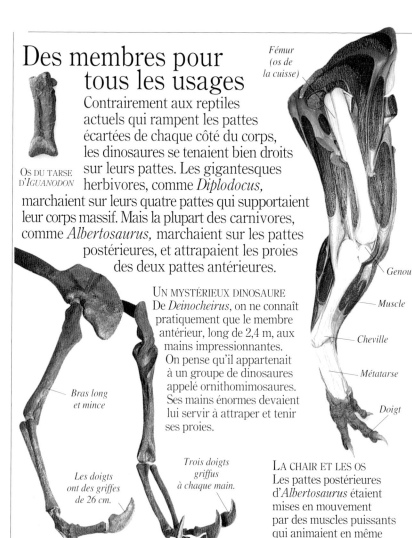

Des membres pour tous les usages

Contrairement aux reptiles actuels qui rampent les pattes écartées de chaque côté du corps, les dinosaures se tenaient bien droits sur leurs pattes. Les gigantesques herbivores, comme *Diplodocus,* marchaient sur leurs quatre pattes qui supportaient leur corps massif. Mais la plupart des carnivores, comme *Albertosaurus,* marchaient sur les pattes postérieures, et attrapaient les proies des deux pattes antérieures.

Os DU TARSE D'*IGUANODON*

Fémur (os de la cuisse)

Genou

Muscle

Cheville

Métatarse

Doigt

UN MYSTÉRIEUX DINOSAURE
De *Deinocheirus*, on ne connaît pratiquement que le membre antérieur, long de 2,4 m, aux mains impressionnantes. On pense qu'il appartenait à un groupe de dinosaures appelé ornithomimosaures. Ses mains énormes devaient lui servir à attraper et tenir ses proies.

Bras long et mince

Les doigts ont des griffes de 26 cm.

Trois doigts griffus à chaque main.

LA CHAIR ET LES OS
Les pattes postérieures d'*Albertosaurus* étaient mises en mouvement par des muscles puissants qui animaient en même temps les os du métatarse, et allongeaient les enjambées.

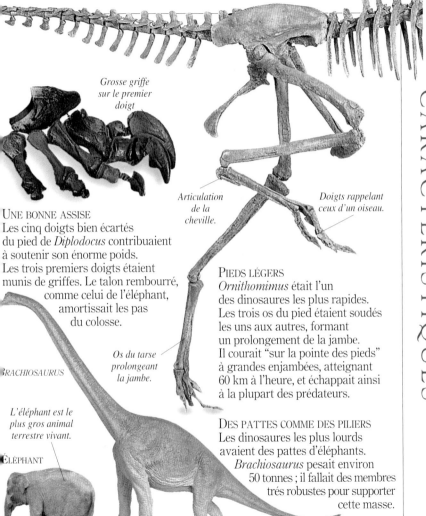

Grosse griffe sur le premier doigt

Articulation de la cheville.

Doigts rappelant ceux d'un oiseau.

UNE BONNE ASSISE
Les cinq doigts bien écartés du pied de *Diplodocus* contribuaient à soutenir son énorme poids. Les trois premiers doigts étaient munis de griffes. Le talon rembourré, comme celui de l'éléphant, amortissait les pas du colosse.

Os du tarse prolongeant la jambe.

BRACHIOSAURUS

L'éléphant est le plus gros animal terrestre vivant.

ÉLÉPHANT

PIEDS LÉGERS
Ornithomimus était l'un des dinosaures les plus rapides. Les trois os du pied étaient soudés les uns aux autres, formant un prolongement de la jambe. Il courait "sur la pointe des pieds" à grandes enjambées, atteignant 60 km à l'heure, et échappait ainsi à la plupart des prédateurs.

DES PATTES COMME DES PILIERS
Les dinosaures les plus lourds avaient des pattes d'éléphants. *Brachiosaurus* pesait environ 50 tonnes ; il fallait des membres trés robustes pour supporter cette masse.

41

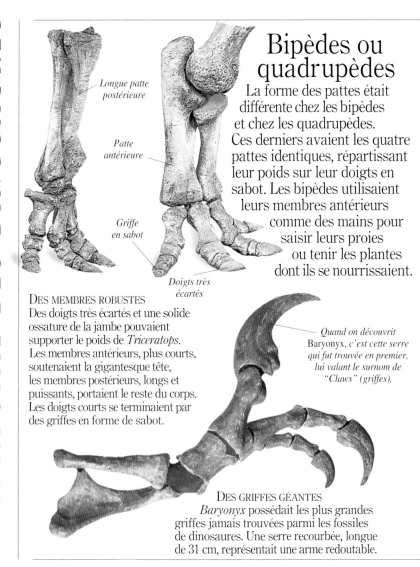

Longue patte postérieure

Patte antérieure

Griffe en sabot

Doigts très écartés

Bipèdes ou quadrupèdes

La forme des pattes était différente chez les bipèdes et chez les quadrupèdes. Ces derniers avaient les quatre pattes identiques, répartissant leur poids sur leur doigts en sabot. Les bipèdes utilisaient leurs membres antérieurs comme des mains pour saisir leurs proies ou tenir les plantes dont ils se nourrissaient.

DES MEMBRES ROBUSTES
Des doigts très écartés et une solide ossature de la jambe pouvaient supporter le poids de *Triceratops*. Les membres antérieurs, plus courts, soutenaient la gigantesque tête, les membres postérieurs, longs et puissants, portaient le reste du corps. Les doigts courts se terminaient par des griffes en forme de sabot.

Quand on découvrit Baryonyx, c'est cette serre qui fut trouvée en premier, lui valant le surnom de "Claws" (griffes).

DES GRIFFES GÉANTES
Baryonyx possédait les plus grandes griffes jamais trouvées parmi les fossiles de dinosaures. Une serre recourbée, longue de 31 cm, représentait une arme redoutable.

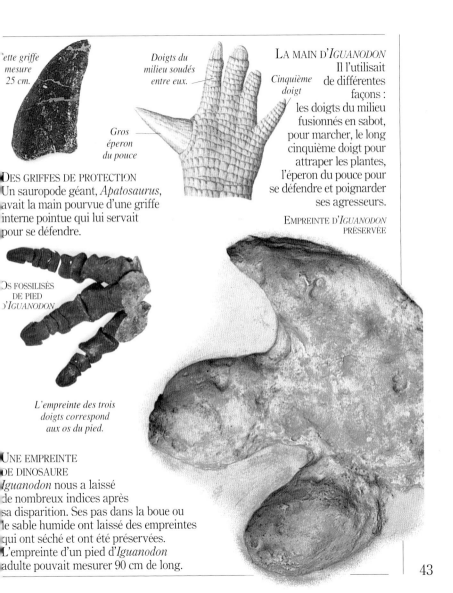

ette griffe
mesure
25 cm.

*Doigts du
milieu soudés
entre eux.*

*Cinquième
doigt*

LA MAIN D'*IGUANODON*
Il l'utilisait
de différentes
façons :
les doigts du milieu
fusionnés en sabot,
pour marcher, le long
cinquième doigt pour
attraper les plantes,
l'éperon du pouce pour
se défendre et poignarder
ses agresseurs.

*Gros
éperon
du pouce*

DES GRIFFES DE PROTECTION
Un sauropode géant, *Apatosaurus*,
avait la main pourvue d'une griffe
interne pointue qui lui servait
pour se défendre.

EMPREINTE D'*IGUANODON*
PRÉSERVÉE

OS FOSSILISÉS
DE PIED
D'*IGUANODON*

*L'empreinte des trois
doigts correspond
aux os du pied.*

UNE EMPREINTE
DE DINOSAURE
Iguanodon nous a laissé
de nombreux indices après
sa disparition. Ses pas dans la boue ou
le sable humide ont laissé des empreintes
qui ont séché et ont été préservées.
L'empreinte d'un pied d'*Iguanodon*
adulte pouvait mesurer 90 cm de long.

43

Des queues interminables

Les os fossilisés nous en disent long sur leurs propriétaires. Une queue flexible terminée par des os longs et fins est la marque de fabrique des gigantesques sauropodes. La queue des bipèdes, aux os soudés entre eux, leur servait de balancier. Une queue terminée par une massue ou des piquants était une arme redoutable contre l'assaut d'un ennemi.

Deinonychus poursuivait ses proies en courant à toute vitesse.

Os de la queue ajustés entre eux.

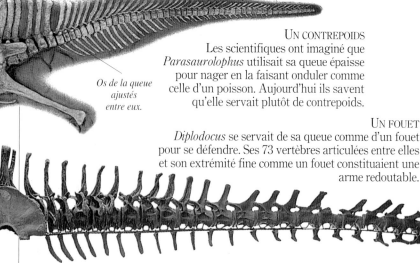

UN CONTREPOIDS
Les scientifiques ont imaginé que *Parasaurolophus* utilisait sa queue épaisse pour nager en la faisant onduler comme celle d'un poisson. Aujourd'hui ils savent qu'elle servait plutôt de contrepoids.

UN FOUET
Diplodocus se servait de sa queue comme d'un fouet pour se défendre. Ses 73 vertèbres articulées entre elles et son extrémité fine comme un fouet constituaient une arme redoutable.

Queue raide tendue
à l'horizontale.

UN GOUVERNAIL
Deinonychus avait une queue rigide dont les os étaient
attachés les uns aux autres par de longs chevrons
osseux. Lorsqu'il courait ou sautait, sa queue lui servait
de balancier et lui permettait de changer de direction.

Lourde massue
caudale

UNE MASSUE
La queue d'*Euoplocephalus*
se terminait par une énorme
massue osseuse qu'il balançait
sur ses ennemis pour les blesser.

DES PIQUANTS
Stegosaurus tenait ses agresseurs
à distance en balançant
sa queue couverte d'épines
énormes pour les frapper
à la tête ou au ventre.

Épines
osseuses

Queue terminée
par un fouet.

Une peau blindée

Lézards et serpents, crocodiles et tortues ont une épaisse peau écailleuse, caractéristique des reptiles. Les dinosaures ne faisaient pas exception à la règle. On a retrouvé des empreintes fossilisées de peau couverte de protubérances. La peau des ankylosaures était incrustée de piquants et de plaques osseuses, véritable armure contre les dinosaures les plus dangereux.

FRAGMENT DE PEAU
Des nodules osseux comme celui-ci, renforçaient la peau des dinosaures cuirassés comme *Polacanthus*.

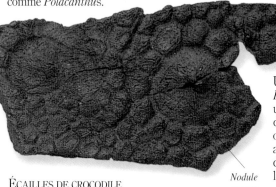

UNE BELLE ARMURE
Polacanthus avait une couche protectrice de nodules et de plaques osseuses imbriquées, armure capable de décourager les ennemis les plus affamés.

Nodule osseux

ÉCAILLES DE CROCODILE
Les crocodiles ont une peau dure couverte d'écailles saillantes. Noyées dans le derme, le long du dos et parfois du ventre, des plaques osseuses la renforcent. La peau imperméable des crocodiles et des autres reptiles ne laisse pas s'évaporer l'humidité du corps.

Peau de crocodile vue à la loupe.

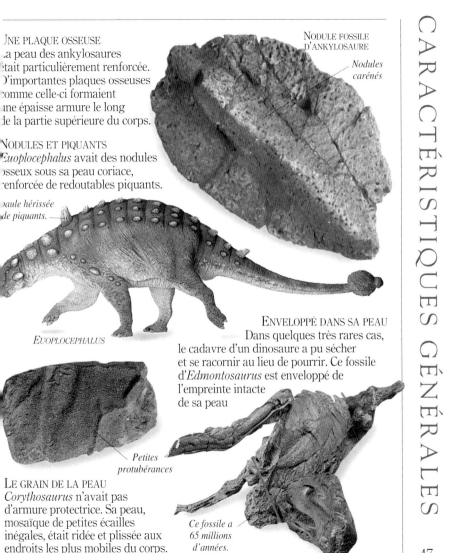

UNE PLAQUE OSSEUSE
La peau des ankylosaures
était particulièrement renforcée.
D'importantes plaques osseuses
comme celle-ci formaient
une épaisse armure le long
de la partie supérieure du corps.

NODULE FOSSILE
D'ANKYLOSAURE

*Nodules
carénés*

NODULES ET PIQUANTS
Euoplocephalus avait des nodules
osseux sous sa peau coriace,
renforcée de redoutables piquants.

*Épaule hérissée
de piquants.*

EUOPLOCEPHALUS

ENVELOPPÉ DANS SA PEAU
Dans quelques très rares cas,
le cadavre d'un dinosaure a pu sécher
et se racornir au lieu de pourrir. Ce fossile
d'*Edmontosaurus* est enveloppé de
l'empreinte intacte
de sa peau

*Petites
protubérances*

LE GRAIN DE LA PEAU
Corythosaurus n'avait pas
d'armure protectrice. Sa peau,
mosaïque de petites écailles
inégales, était ridée et plissée aux
endroits les plus mobiles du corps.

*Ce fossile a
65 millions
d'années.*

LE MODE DE VIE DES DINOSAURES

Bien que les dinosaures se soient éteints il y a 65 millions d'années, nous savons beaucoup sur leur mode de vie, leur alimentation, leurs petits. Mais il reste à établir s'ils avaient le sang froid ou le sang chaud.

Les carnivores

La plupart avaient des dents et des griffes pointues et meurtrières. Ils chassaient, en bandes ou solitaires, ou se nourrissaient d'animaux morts, peut-être de maladie.

LE SAVIEZ-VOUS ?
• Certains dinosaures ont pu vivre 200 ans.
• *Tyrannosaurus rex* fut le plus grand carnivore terrestre.
• Les plus gros œufs de dinosaure ont probablement appartenu au sauropode *Hypselosaurus*.
• Des embryons furent fossilisés dans leurs œufs.

AGILE CHASSEUR
Dromaeosaurus avait des traits communs à de nombreux carnivores : rapide, vif, les dents et les griffes acérées. Il devait chasser en bandes, s'attaquant à beaucoup plus gros que lui.

Mains griffues pour saisir les proies.

Patte postérieure longue et fine.

Serre acérée pointée vers l'avant.

Carnivore

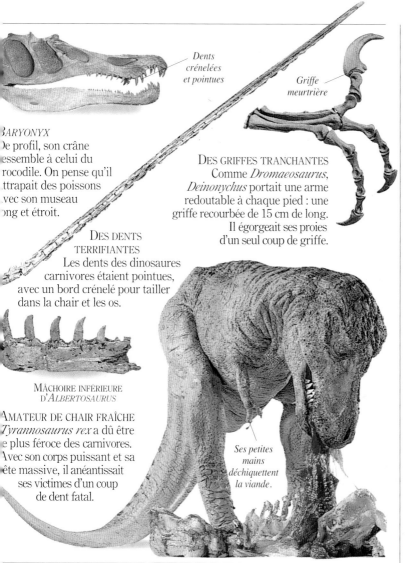

Dents crénelées et pointues

Griffe meurtrière

BARYONYX
De profil, son crâne ressemble à celui du crocodile. On pense qu'il attrapait des poissons avec son museau long et étroit.

DES GRIFFES TRANCHANTES
Comme _Dromaeosaurus_, _Deinonychus_ portait une arme redoutable à chaque pied : une griffe recourbée de 15 cm de long. Il égorgeait ses proies d'un seul coup de griffe.

DES DENTS TERRIFIANTES
Les dents des dinosaures carnivores étaient pointues, avec un bord crénelé pour tailler dans la chair et les os.

MÂCHOIRE INFÉRIEURE D'_ALBERTOSAURUS_

AMATEUR DE CHAIR FRAÎCHE
Tyrannosaurus rex a dû être le plus féroce des carnivores. Avec son corps puissant et sa tête massive, il anéantissait ses victimes d'un coup de dent fatal.

Ses petites mains déchiquettent la viande.

Les herbivores

Pour ne pas dépérir, les dinosaures
herbivores devaient manger de grandes
quantités de plantes tous les jours.
Leurs dents adaptées à ce régime
végétarien étaient conçues pour
hacher, ratisser, ou broyer. Certains
avaient un bec pour couper feuilles
et brindilles. Une fois avalés,
de tels repas nécessitaient
plusieurs jours de digestion.

UN INTESTIN
BROYEUR
Barosaurus
avalait tout
rond les feuilles
et les branches
sans les mâcher. Dans
son estomac des pierres
ingérées (les gastrolithes)
broyaient les aliments
pour faciliter la digestion.

LE SAVIEZ-VOUS ?

• Les ornithischiens
étaient herbivores.

• Certains avaient
jusqu'à 960 dents.

• Jusqu'à il y a 125
millions d'années, les
dinosaures n'avaient
pas de fleurs pour
agrémenter leurs repas.

• Les dinosaures
devaient migrer
aux saisons sèches
vers des réserves
de nourriture fraîche.

• Des plantes qu'ils
mangeaient existent
toujours : pins,
fougères et cycas.

Des pierres lisses
On a retrouvé des gastrolithes
près de plusieurs
squelettes de dinosaures.

Herbivore

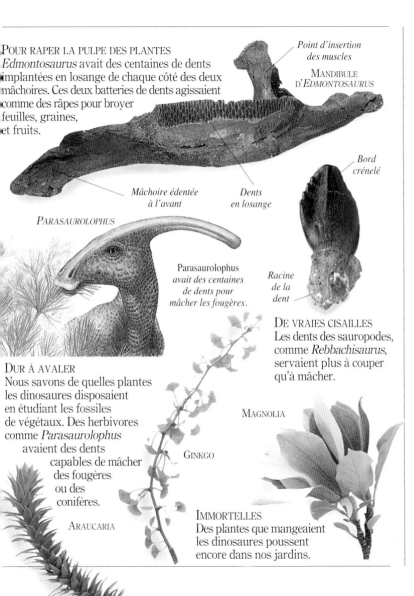

POUR RAPER LA PULPE DES PLANTES
Edmontosaurus avait des centaines de dents
implantées en losange de chaque côté des deux
mâchoires. Ces deux batteries de dents agissaient
comme des râpes pour broyer
feuilles, graines,
et fruits.

Point d'insertion
des muscles

MANDIBULE
D'*EDMONTOSAURUS*

Bord
crénelé

Mâchoire édentée
à l'avant

Dents
en losange

PARASAUROLOPHUS

Parasaurolophus
*avait des centaines
de dents pour
mâcher les fougères.*

Racine
de la
dent

DE VRAIES CISAILLES
Les dents des sauropodes,
comme *Rebbachisaurus*,
servaient plus à couper
qu'à mâcher.

DUR À AVALER
Nous savons de quelles plantes
les dinosaures disposaient
en étudiant les fossiles
de végétaux. Des herbivores
comme *Parasaurolophus*
avaient des dents
capables de mâcher
des fougères
ou des
conifères.

MAGNOLIA

GINKGO

ARAUCARIA

IMMORTELLES
Des plantes que mangeaient
les dinosaures poussent
encore dans nos jardins.

51

Les sens

Une vue, un odorat et une ouïe
trés développés pourraient expliquer
la présence sur terre des dinosaures
pendant une si longue période.
L'acuité de ces sens était
indispensable dans leur monde
hostile. Les chasseurs traquaient
leur proie au bruit et à l'odeur.
De nombreux dinosaures vivaient
en groupe et protégeaient leurs
petits, yeux
et oreilles
aux aguets.

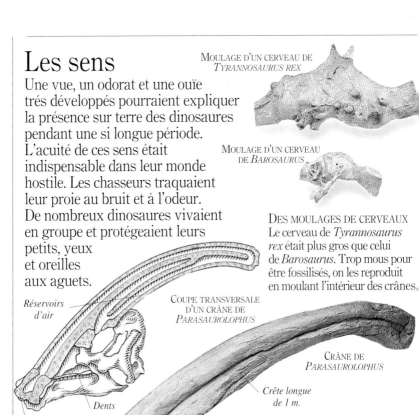

MOULAGE D'UN CERVEAU DE
TYRANNOSAURUS REX

MOULAGE D'UN CERVEAU
DE *BAROSAURUS*

DES MOULAGES DE CERVEAUX
Le cerveau de *Tyrannosaurus
rex* était plus gros que celui
de *Barosaurus*. Trop mous pour
être fossilisés, on les reproduit
en moulant l'intérieur des crânes.

*Réservoirs
d'air*

COUPE TRANSVERSALE
D'UN CRÂNE DE
PARASAUROLOPHUS

CRÂNE DE
PARASAUROLOPHUS

*Crête longue
de 1 m.*

Dents

*Ouverture
nasale laissant
pénétrer l'air.*

UN AMPLIFICATEUR DE SONS
Certains dinosaures, comme
Parasaurolophus, produisaient
des signaux sonores à l'aide
de leur crête, pouvant ainsi
s'identifier ou s'avertir du danger.
Des chambres d'écho tubulaires
allaient du nez jusqu'à la crête.
L'air voyageait et vibrait dans
ce "trombone" préhistorique.

EN COULEURS

VUE DE L'ŒIL GAUCHE

VUE DE L'ŒIL DROIT

EN NOIR ET BLANC

VUE DE L'ŒIL GAUCHE

VUE DE L'ŒIL DROIT

VISION BINOCULAIRE
Nous ne savons pas si les dinosaures voyaient en couleurs, mais la position des yeux jouait un rôle dans la perception visuelle. Chez les herbivores, les yeux sur les côtés de la tête envoyaient deux champs d'images différents au cerveau.

EN COULEURS

EN NOIR ET BLANC

VISION MONOCULAIRE
La grandeur du cerveau n'est pas toujours signe d'intelligence, pourtant, avec son gros cerveau, *Troodon* semble avoir été un des dinosaures les plus évolués intellectuellement. Il avait de grands yeux et une bonne vue stéréoscopique : comme nous il voyait une seule image. Il pouvait évaluer les distances quand il poursuivait ou attrapait une proie.

Sang chaud ou sang froid ?

Animaux à sang froid, les reptiles ont une température qui dépend des conditions extérieures, comme la chaleur du soleil. Animaux à sang chaud, les mammifères transforment en chaleur l'énergie puisée dans la nourriture. Un pelage les maintient au chaud ; ils transpirent pour se rafraîchir. Bien que reptiles, le comportement des dinosaures ressemble à celui des mammifères (comme l'agilité à la course). Sang chaud ou froid ? Les scientifiques restent perplexes.

Vaisseaux sanguins

COUPES TRANSVERSALES

OS DE MAMMIFÈRE   OS DE REPTILE

Plaques dorsales

SANG ET OS
Les os de dinosaures ressemblaient à ceux des mammifères.
Les os de reptiles contiennent beaucoup moins de vaisseaux.

Vue transversale : trou pour le vaisseau sanguin.

Vue latérale : vaisseaux sanguins traversant la plaque.

LES PLAQUES DORSALES
Stegosaurus utilisait ces plaques osseuses comme des régulateurs de chaleur. Pour réchauffer le sang qui circulait dans ses plaques, il se mettait dos au soleil. Pour se rafraîchir, il restait à l'ombre et attendait que les plaques refroidissent.

Physiologie

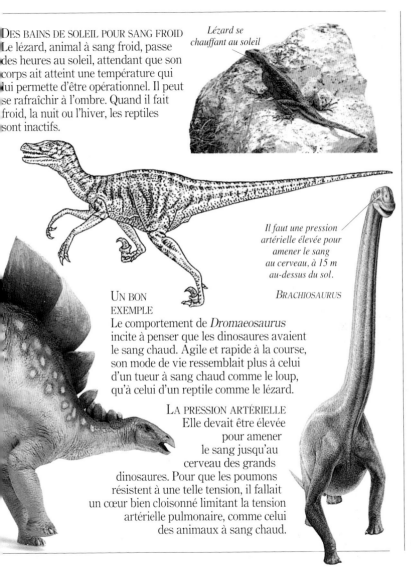

DES BAINS DE SOLEIL POUR SANG FROID
Le lézard, animal à sang froid, passe des heures au soleil, attendant que son corps ait atteint une température qui lui permette d'être opérationnel. Il peut se rafraîchir à l'ombre. Quand il fait froid, la nuit ou l'hiver, les reptiles sont inactifs.

Lézard se chauffant au soleil

Il faut une pression artérielle élevée pour amener le sang au cerveau, à 15 m au-dessus du sol.

BRACHIOSAURUS

UN BON EXEMPLE
Le comportement de *Dromaeosaurus* incite à penser que les dinosaures avaient le sang chaud. Agile et rapide à la course, son mode de vie ressemblait plus à celui d'un tueur à sang chaud comme le loup, qu'à celui d'un reptile comme le lézard.

LA PRESSION ARTÉRIELLE
Elle devait être élevée pour amener le sang jusqu'au cerveau des grands dinosaures. Pour que les poumons résistent à une telle tension, il fallait un cœur bien cloisonné limitant la tension artérielle pulmonaire, comme celui des animaux à sang chaud.

Les nids, les œufs et les petits

Les dinosaures pondaient des œufs, comme les oiseaux et la plupart des reptiles. La découverte récente de sites de ponte apporte des informations importantes : les petits restaient au nid, soignés par les adultes, jusqu'à ce qu'ils puissent partir seuls. Les dinosaures, comme de nombreux oiseaux, utilisaient le même nid chaque année.

Œuf fossilisé avec des fragments de coquille craquelée.

UN ŒUF RÉEL
La découverte d'une couvée de *Protoceratops* prouva que les dinosaures pondaient. La coquille perméable laissait passer l'air jusqu'à l'embryon.

Le petit part à la recherche de nourriture.

DES PETITS ŒUFS
Ces fossiles d'œufs de sauropode, qui ne mesurent que 15 cm de diamètre, auraient donné naissance à un animal atteignant 12 m de long à l'âge adulte. Il fallait certainement plusieurs années aux sauropodes pour atteindre leur taille définitive.

Reproduction animale

LA VIE DE FAMILLE

La femelle *Maiasaura*
pondait près de deux
douzaines d'œufs dans
un nid creusé à même le sol,
tapissé de feuilles et
de brindilles. À la naissance,
les petits mesuraient environ
30 cm de long. Ils étaient
élevés au nid jusqu'à
ce qu'ils atteignent 1,50 m
et soient capables
de se débrouiller tout seuls.

ŒUF FOSSILISÉ
DE *MAIASAURA* AVEC
LE SQUELETTE
DU BÉBÉ

*Les petits
de* Maiasaura *étaient
très vulnérables.*

DES DÉBUTS PRÉCOCES

Contrairement aux petits de
Maiasaura entourés de soins par leur
mère pendant plusieurs semaines,
ceux d'*Orodromeus* quittaient le nid
au sortir de l'œuf. Ils devenaient alors
la proie de dinosaures
carnivores, tels
que *Troodon*.

*Petits
d'*Orodromeus
quittant le nid

LES PREMIERS DINOSAURES

Plusieurs groupes de reptiles existaient avant l'apparition des dinosaures : parmi eux, les thécodontes, qui furent les ancêtres des dinosaures et probablement aussi ceux des ptérosaures et des crocodiles. C'étaient de grands carnivores, aux pattes plus droites que celles des autres reptiles. Le premier dinosaure connu, *Eoraptor*, apparut il y a 228 millions d'années.

UN TRÈS VIEUX DINOSAURE
Découvert en 1922 en Argentine, *Eoraptor* est sans doute le plus ancien dinosaure connu. Il a un crâne de crocodile, des dents pointues et recourbées.

Mâchoires pourvues de dents acérées.

Longue queue rigide

Sa longue queue lui servait de balancier.

STAURIKOSAURUS

Staurikosaurus mesurait près de 2 m de long.

Longues pattes postérieures d'oiseau.

Évolution des espèces

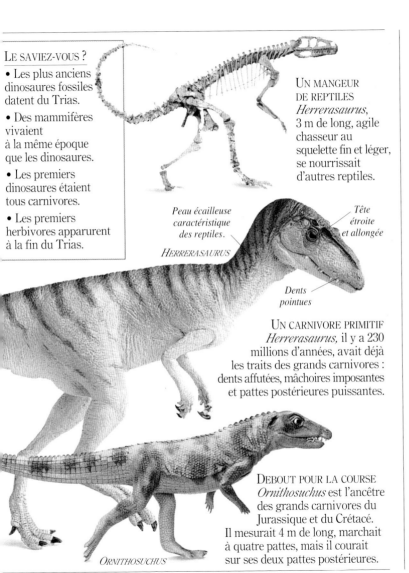

LE SAVIEZ-VOUS ?
• Les plus anciens dinosaures fossiles datent du Trias.

• Des mammifères vivaient à la même époque que les dinosaures.

• Les premiers dinosaures étaient tous carnivores.

• Les premiers herbivores apparurent à la fin du Trias.

UN MANGEUR DE REPTILES
Herrerasaurus, 3 m de long, agile chasseur au squelette fin et léger, se nourrissait d'autres reptiles.

Peau écailleuse caractéristique des reptiles.

HERRERASAURUS

Tête étroite et allongée

Dents pointues

UN CARNIVORE PRIMITIF
Herrerasaurus, il y a 230 millions d'années, avait déjà les traits des grands carnivores : dents affûtées, mâchoires imposantes et pattes postérieures puissantes.

DEBOUT POUR LA COURSE
Ornithosuchus est l'ancêtre des grands carnivores du Jurassique et du Crétacé. Il mesurait 4 m de long, marchait à quatre pattes, mais il courait sur ses deux pattes postérieures.

ORNITHOSUCHUS

59

EXTINCTION DES DINOSAURES

Les dinosaures se sont éteints il y a environ
65 millions d'années et, avec eux, les reptiles marins
et volants. De nombreuses théories
existent qui ont tenté d'expliquer
cette extinction, pourtant
elle reste un mystère.

Même Tyrannosaurus rex
*ne put survivre
à l'extinction.*

Animal disparu

LA THÉORIE DE L'ASTÉROÏDE
À la fin du Crétacé,
un gigantesque astéroïde
aurait heurté la Terre, créant un
nuage de poussière qui aurait
encerclé notre planète, faisant
écran à la lumière solaire
et bouleversant le climat.

UNE MORT LENTE
La disparition des
dinosaures dura
plusieurs millions
d'années.
*Tyrannosaurus
rex* fut l'un
des derniers
à mourir.

MAGNOLIA

LES FLEURS
Les plantes
à fleurs ont pu contribuer
à la disparition des dinosaures.
Beaucoup étaient vénéneuses
et tuaient les herbivores qui les
mangeaient. Les carnivores qui
se nourrissaient des herbivores
seraient morts à leur tour
par manque de nourriture.

LA THÉORIE DES VOLCANS
De nombreux volcans étaient actifs
au Crétacé. Il y avait d'énormes coulées de
lave dans la région de l'Inde actuelle. Le gaz
carbonique répandu dans l'air provoqua une
augmentation de la température, des pluies
acides et la
destruction de la
couche d'ozone.

*Megasostrodon
était un
mammifère qui
vivait au Trias.*

*Les crocodiles n'ont guère
changé au fil des années.*

LES MAMMIFÈRES
Des mammifères
apparurent au Trias au côté
des dinosaures. Après
l'extinction de ces derniers,
ils devinrent les animaux
terrestres dominants.

LES REPTILES
SURVIVANTS
Les crocodiles
existaient avant
les dinosaures et sont toujours en
vie aujourd'hui. Comment expliquer
qu'ils aient survécu aux dinosaures ?
Ce mystère reste absolu.

LES DINOSAURES SAURISCHIENS

QUI ÉTAIENT LES SAURISCHIENS ?

Il formaient deux grands groupes : les théropodes et les sauropodomorphes. Parmi eux se trouvaient les dinosaures les plus grands mais aussi quelques-uns des plus petits. La forme des os iliaques (os du bassin) les différenciait des ornithischiens.

Mâchoires aux dents acérées caractéristiques des théropodes carnassiers.

LES SAUROPODOMORPHES
La plupart étaient herbivores et quadrupèdes (ils marchaient à quatre pattes). On y trouve aussi le plus grand de tous les dinosaures, *Seismosaurus* (40 m de long).

TYRANNOSAURUS REX

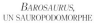

BAROSAURUS, UN SAUROPODOMORPHE

LES THÉROPODES
Ils étaient tous carnivores et bipèdes (ils marchaient sur deux pattes). L'un des plus petits dinosaures carnivores, *Compsognathus*, et le plus grand ayant jamais vécu sur Terre, *Tyrannosaurus rex*, étaient des théropodes.

COMPSOGNATHUS

Saurischien

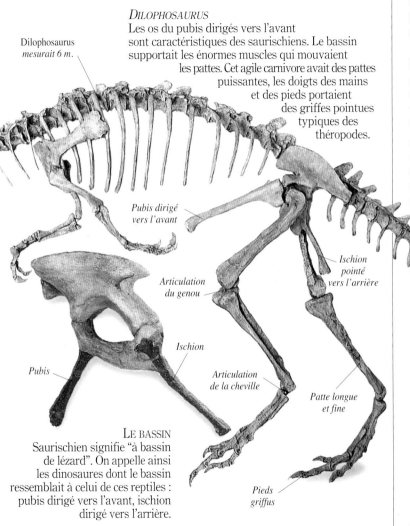

DILOPHOSAURUS

Les os du pubis dirigés vers l'avant sont caractéristiques des saurischiens. Le bassin supportait les énormes muscles qui mouvaient les pattes. Cet agile carnivore avait des pattes puissantes, les doigts des mains et des pieds portaient des griffes pointues typiques des théropodes.

Dilophosaurus *mesurait 6 m.*

Pubis dirigé vers l'avant

Articulation du genou

Ischion pointé vers l'arrière

Ischion

Pubis

Articulation de la cheville

Patte longue et fine

LE BASSIN

Saurischien signifie "à bassin de lézard". On appelle ainsi les dinosaures dont le bassin ressemblait à celui de ces reptiles : pubis dirigé vers l'avant, ischion dirigé vers l'arrière.

Pieds griffus

65

LES THÉROPODES

Tueurs gigantesques
et féroces, ces carnivores
se déplaçaient sur leurs pattes
postérieures armées de griffes.
Théropode signifie "pied de bête
sauvage" ; pourtant, leurs pieds
ressemblaient plus à ceux des oiseaux
avec leurs trois doigts et des os tarsiens qui
prolongeaient la jambe. Les mains aux griffes
acérées leur servaient à attraper leurs proies.

UN TRÈS ANCIEN THÉROPOI
Dilophosaurus vivait
au début du Jurassique.
Prédateur agile, il fut
l'un des premiers
grands dinosaures
carnivores.

Queue

UNE IMPORTANTE
DÉCOUVERTE
Coelophysis chassait
les lézards et les petits
dinosaures. Dans la cavité gastrique
de ce squelette fossilisé on a trouvé des
squelettes de jeunes de la même espèce :
il était donc
cannibale.

Coelophysis
*mesurait
3 m de long.*

Os d'un jeune
Coelophysis *dans
la cavité gastrique.*

LE SAVIEZ-VOUS ?

• Tous les théropodes
étaient carnivores.

• *Coelophysis*, l'un des
premiers théropodes,
vivait il y a
220 millions d'années.

• *Tyrannosaurus rex*
fut l'un des derniers
théropodes. Il vécut
jusqu'à 65 millions
d'années avant
notre ère.

• La plupart des
théropodes n'avaient
que trois doigts.

• Au moins cinq
vertèbres soutenaient
leur bassin.

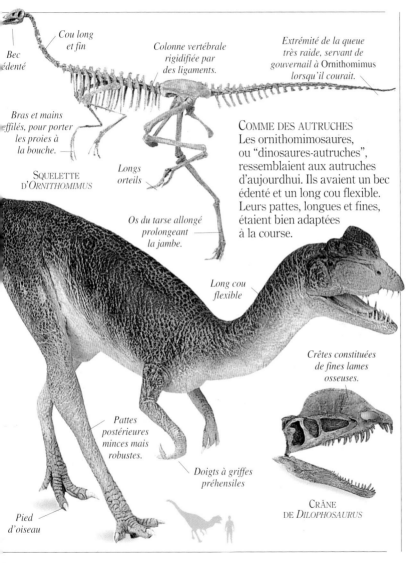

Bec
édenté

Cou long
et fin

Colonne vertébrale
rigidifiée par
des ligaments.

Extrémité de la queue
très raide, servant de
gouvernail à Ornithomimus
lorsqu'il courait.

Bras et mains
effilés, pour porter
les proies à
la bouche.

SQUELETTE
D'*ORNITHOMIMUS*

Longs
orteils

Os du tarse allongé
prolongeant
la jambe.

COMME DES AUTRUCHES
Les ornithomimosaures,
ou "dinosaures-autruches",
ressemblaient aux autruches
d'aujourdhui. Ils avaient un bec
édenté et un long cou flexible.
Leurs pattes, longues et fines,
étaient bien adaptées
à la course.

Long cou
flexible

Crêtes constituées
de fines lames
osseuses.

Pattes
postérieures
minces mais
robustes.

Doigts à griffes
préhensiles

CRÂNE
DE *DILOPHOSAURUS*

Pied
d'oiseau

Les carnosaures

De tous les théropodes, les féroces carnosaures
sont les plus connus. Certains couraient à
35 km/h sur leurs immenses et puissantes pattes
postérieures. Leur tête massive était pourvue
d'une batterie impressionnante d'énormes
dents recourbées et crénelées. Parmi eux,
Tyrannosaurus rex était le plus grand
et le plus respecté des prédateurs
du Crétacé. *Allosaurus* régnait
au Jurassique.

*Premier
doigt
court*

*Cou
recourbé*

LE PIED D'*ALLOSAURUS*
Comme tous les carnosaures, *Allosaurus* marchait
sur trois doigts munis de griffes. Le premier orteil,
court et tourné vers l'arrière, ne reposait pas
sur le sol.

*Les mâchoires allongées,
armées de dents, pouvaient
s'ouvrir largement pour
avaler de gros morceaux
de viande.*

*Longues mains
à trois doigts aux
griffes crochues.*

*Membres antérieurs,
petits et frêles
par rapport au
reste du corps.*

Ischion

LE SQUELETTE
Les découvertes de squelettes entiers de carnosaures
sont rares. Mais de nombreux fragments de squelettes
d'*Allosaurus* ont été découverts, dont plus de 60
squelettes dans une même carrière. Ainsi a-t-on pu
reconstituer fidèlement ce terrible carnivore.

*La longueur
des os du tarse
allongeait la jambe.*

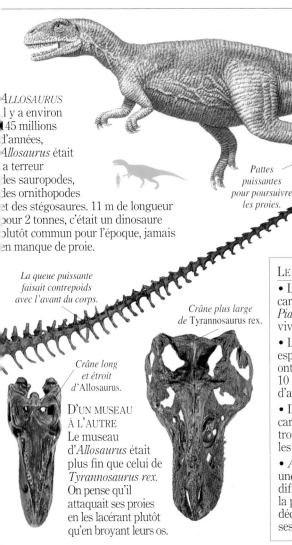

ALLOSAURUS
Il y a environ 145 millions d'années, *Allosaurus* était la terreur des sauropodes, des ornithopodes et des stégosaures. 11 m de longueur pour 2 tonnes, c'était un dinosaure plutôt commun pour l'époque, jamais en manque de proie.

Queue massive

Pattes puissantes pour poursuivre les proies.

La queue puissante faisait contrepoids avec l'avant du corps.

Crâne plus large de Tyrannosaurus rex.

*Crâne long et étroit d'*Allosaurus.

D'UN MUSEAU À L'AUTRE
Le museau d'*Allosaurus* était plus fin que celui de *Tyrannosaurus rex*. On pense qu'il attaquait ses proies en les lacérant plutôt qu'en broyant leurs os.

LE SAVIEZ-VOUS ?

• Le plus ancien carnosaure connu, *Piatnitzkysaurus*, vivait au Jurassique.

• La plupart des espèces carnosaures ont vécu durant les 10 derniers millions d'années du Crétacé.

• Des restes de carnosaures ont été trouvés sur tous les continents.

• *Allosaurus* a reçu une dizaine de noms différents depuis la première découverte de ses restes fossilisés.

TÊTE
DE *CARNOTAURUS*

D'autres carnosaures

Des restes fossilisés de carnosaures ont été trouvés
dans le monde entier. La plupart des squelettes
sont très incomplets, ce qui rend leur étude
et les interprétations difficiles. Comment, en effet,
reconstituer l'image complète d'un dinosaure
à partir de quelques fragments ?
Les scientifiques ne peuvent pas toujours
affirmer si certains dinosaures
appartiennent ou non à la famille
des carnosaures.

*Queue en extension
servant de balancier.*

SPINOSAURUS
Une grande voile de peau soutenue par
de longues épines verticales courait le long
du dos de *Spinosaurus*. Cette voile
lui servait peut-être de régulateur
thermique, comme les plaques
dorsales de *Stegosaurus*.
Elle pouvait être
aussi signe de
reconnaissance ou
moyen de séduction.

*Les épines
mesuraient
jusqu'à 1,80 m
de long.*

*Queue robuste
de carnosaure*

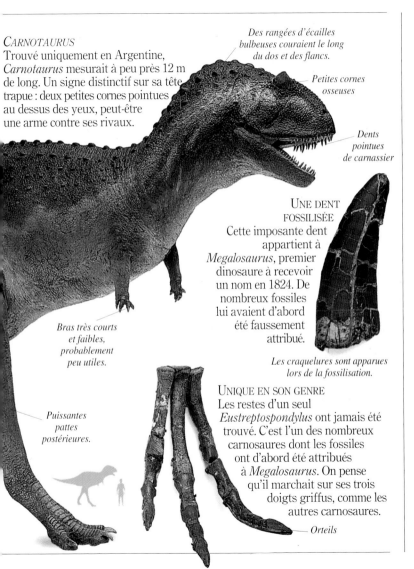

CARNOTAURUS
Trouvé uniquement en Argentine, *Carnotaurus* mesurait à peu près 12 m de long. Un signe distinctif sur sa tête trapue : deux petites cornes pointues au dessus des yeux, peut-être une arme contre ses rivaux.

Des rangées d'écailles bulbeuses couraient le long du dos et des flancs.

Petites cornes osseuses

Dents pointues de carnassier

UNE DENT FOSSILISÉE
Cette imposante dent appartient à *Megalosaurus*, premier dinosaure à recevoir un nom en 1824. De nombreux fossiles lui avaient d'abord été faussement attribué.

Les craquelures sont apparues lors de la fossilisation.

Bras très courts et faibles, probablement peu utiles.

Puissantes pattes postérieures.

UNIQUE EN SON GENRE
Les restes d'un seul *Eustreptospondylus* ont jamais été trouvé. C'est l'un des nombreux carnosaures dont les fossiles ont d'abord été attribués à *Megalosaurus*. On pense qu'il marchait sur ses trois doigts griffus, comme les autres carnosaures.

Orteils

71

Les Tyrannosauridés

De tous les carnosaures, les Tyrannosauridés ont été les plus gigantesques et les plus féroces. Le célèbre *Tyrannosaurus rex* mesurait environ 14 m de long et pesait près de 8 tonnes. C'est le plus grand carnivore terrestre connu à ce jour. Les Tyrannosauridés ne se contentaient pas des proies qu'ils tuaient, ils se nourrissaient aussi de charognes. Ils vivaient à la fin du Crétacé et leurs restes fossilisés ont été trouvés en Amérique du Nord et en Asie centrale et orientale.

DENT DE
*TYRANNOSAURUS
REX*

Bord
dentelé

UNE
GROSSE DENT
Leurs gueules étaient énormes, bordées de longues dents recourbées et crénelées : certaines des dents de *Tyrannosaurus rex* mesuraient 18 cm de long.

UNE PATTE
D'OISEAU
Les os de la jambe de *Tyrannosaurus rex* étaient épais et lourds pour pouvoir supporter son énorme poids. Les os du métatarse étaient soudés et formaient un seul support, de façon à ce que le poids porte au-dessus des trois doigts.

Genou

Queue relevée pour assurer l'équilibre.

Cheville

Métatarsiens

Os des
orteils

Griffes

TYRANNOSAURUS REX
Chasseur sans pareil, il ne devait craindre que ses semblables. Pourtant comme les autres animaux, deux *Tyrannosaurus* devaient éviter les affrontements sauf pour une femelle, un territoire, ou pour se nourrir.

T-Rex

Ce Tyrannosaurus *affamé a repéré un de ses semblables en possession d'un bon repas.*

DES DENTS REDOUTABLES
Daspletosaurus avait les terribles mâchoires des Tyrannosauridés, et il pouvait d'un seul coup de dents terrasser un adversaire. La chair et les os étaient réduits en bouillie par ces poignards meurtriers.

Son rugissement tenait l'intrus à distance.

Un combat entre deux Tyrannosaurus *devait être féroce et sanglant.*

Si Tyrannosaurus *se sentait plus faible, il préférait fuir que risquer d'être blessé.*

Ses griffes clouent la nourriture au sol.

Les ornithomimosaures

Leur bec édenté et leurs pattes élancées leur donnait l'apparence de gigantesques oiseaux déplumés. Malgré cette allure d'autruche, ils avaient les traits caractéristiques des dinosaures : mains griffues et longue queue. Le cou démesuré, ils atteignaient 5 m de long. Comptant parmi les dinosaures les plus rapides, ils couraient sur leurs pattes postérieures, fines mais puissantes. Leur grande bouche leur permettait de tout avaler : proies conséquentes comme des petits mammifères, ou bien insectes ou fruits.

LE SAVIEZ-VOUS ?

• Ornithomimosaure signifie "lézard qui imite l'oiseau".

• On pense qu'ils atteignaient 70 km/h à la course.

• Prédateurs : carnosaures et Dromæosauridés.

DROMICEIOMIMUS
Les 10 vertèbres cervicales constituaient une tige flexible portant la tête aux yeux énormes. Les bras étroits et les mains à trois doigts lui servaient à attraper ses proies.

Articulation du genou

Articulation de la cheville, très haut sur la jambe.

Doigts fins aux longues griffes

Orbites énormes

Seules les phalanges touchaient le sol.

Os du tarse

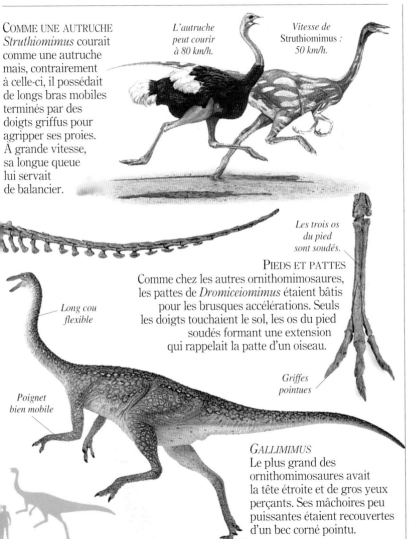

COMME UNE AUTRUCHE
Struthiomimus courait
comme une autruche
mais, contrairement
à celle-ci, il possédait
de longs bras mobiles
terminés par des
doigts griffus pour
agripper ses proies.
À grande vitesse,
sa longue queue
lui servait
de balancier.

*L'autruche
peut courir
à 80 km/h.*

*Vitesse de
Struthiomimus :
50 km/h.*

*Les trois os
du pied
sont soudés.*

PIEDS ET PATTES
Comme chez les autres ornithomimosaures,
les pattes de *Dromiceiomimus* étaient bâtis
pour les brusques accélérations. Seuls
les doigts touchaient le sol, les os du pied
soudés formant une extension
qui rappelait la patte d'un oiseau.

*Long cou
flexible*

*Griffes
pointues*

*Poignet
bien mobile*

GALLIMIMUS
Le plus grand des
ornithomimosaures avait
la tête étroite et de gros yeux
perçants. Ses mâchoires peu
puissantes étaient recouvertes
d'un bec corné pointu.

Les oviraptosaures

Le premier oviraptosaure découvert était allongé, le crâne fracassé, dans un nid d'œufs de dinosaure fossilisés. Les œufs appartenaient à un herbivore, *Protoceratops*. Au moment de sa mort, l'oviraptosaure essayait probablement de voler les œufs pour les manger et son crâne fracassé laisse penser qu'il fut surpris et tué par un *Protoceratops* adulte. Les oviraptosaures se nourrissaient aussi de baies et d'insectes et, parfois, de charognes.

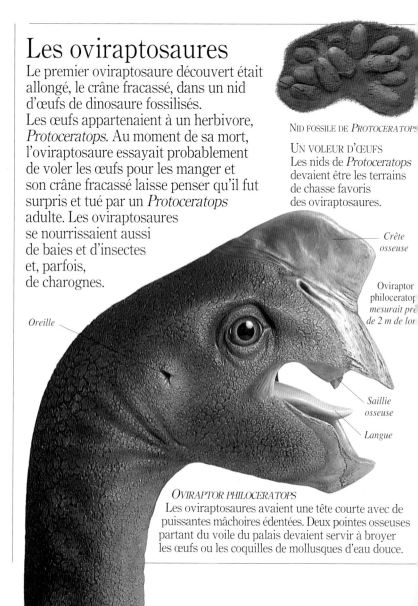

NID FOSSILE DE *PROTOCERATOPS*

UN VOLEUR D'ŒUFS
Les nids de *Protoceratops* devaient être les terrains de chasse favoris des oviraptosaures.

Crête osseuse

Oviraptor philoceratop*s* mesurait pr*ès* de 2 m de lon*g.*

Oreille

Saillie osseuse

Langue

OVIRAPTOR PHILOCERATOPS
Les oviraptosaures avaient une tête courte avec de puissantes mâchoires édentées. Deux pointes osseuses partant du voile du palais devaient servir à broyer les œufs ou les coquilles de mollusques d'eau douce.

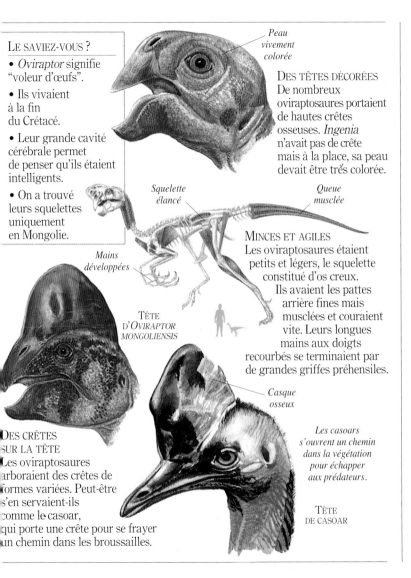

LE SAVIEZ-VOUS ?

• *Oviraptor* signifie "voleur d'œufs".

• Ils vivaient à la fin du Crétacé.

• Leur grande cavité cérébrale permet de penser qu'ils étaient intelligents.

• On a trouvé leurs squelettes uniquement en Mongolie.

Peau vivement colorée

DES TÊTES DÉCORÉES
De nombreux oviraptosaures portaient de hautes crêtes osseuses. *Ingenia* n'avait pas de crête mais à la place, sa peau devait être très colorée.

Squelette élancé

Queue musclée

Mains développées

MINCES ET AGILES
Les oviraptosaures étaient petits et légers, le squelette constitué d'os creux. Ils avaient les pattes arrière fines mais musclées et couraient vite. Leurs longues mains aux doigts recourbés se terminaient par de grandes griffes préhensiles.

TÊTE
D'*OVIRAPTOR MONGOLIENSIS*

Casque osseux

Les casoars s'ouvrent un chemin dans la végétation pour échapper aux prédateurs.

DES CRÊTES
SUR LA TÊTE
Les oviraptosaures arboraient des crêtes de formes variées. Peut-être s'en servaient-ils comme le casoar, qui porte une crête pour se frayer un chemin dans les broussailles.

TÊTE
DE CASOAR

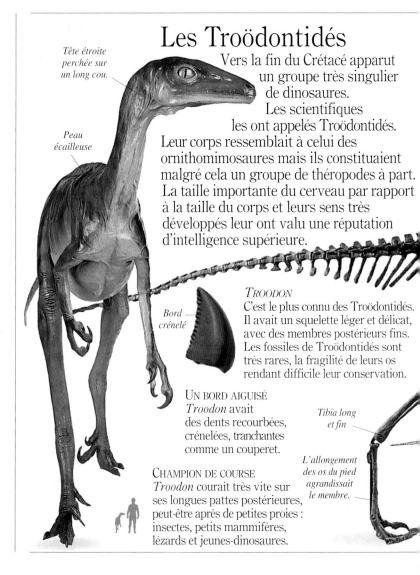

Les Troödontidés

Vers la fin du Crétacé apparut un groupe très singulier de dinosaures. Les scientifiques les ont appelés Troödontidés. Leur corps ressemblait à celui des ornithomimosaures mais ils constituaient malgré cela un groupe de théropodes à part. La taille importante du cerveau par rapport à la taille du corps et leurs sens très développés leur ont valu une réputation d'intelligence supérieure.

Tête étroite perchée sur un long cou.

Peau écailleuse

Bord crénelé

TROODON
C'est le plus connu des Troödontidés. Il avait un squelette léger et délicat, avec des membres postérieurs fins. Les fossiles de Troödontidés sont très rares, la fragilité de leurs os rendant difficile leur conservation.

UN BORD AIGUISÉ
Troodon avait des dents recourbées, crénelées, tranchantes comme un couperet.

Tibia long et fin

L'allongement des os du pied agrandissait le membre.

CHAMPION DE COURSE
Troodon courait très vite sur ses longues pattes postérieures, peut-être après de petites proies : insectes, petits mammifères, lézards et jeunes-dinosaures.

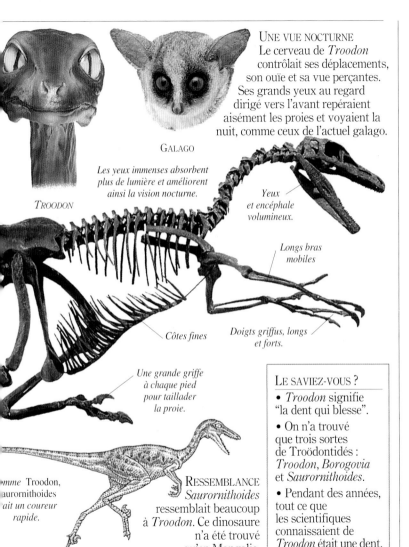

UNE VUE NOCTURNE
Le cerveau de *Troodon* contrôlait ses déplacements, son ouïe et sa vue perçantes. Ses grands yeux au regard dirigé vers l'avant repéraient aisément les proies et voyaient la nuit, comme ceux de l'actuel galago.

GALAGO

Les yeux immenses absorbent plus de lumière et améliorent ainsi la vision nocturne.

TROODON

Yeux et encéphale volumineux.

Longs bras mobiles

Côtes fines

Doigts griffus, longs et forts.

Une grande griffe à chaque pied pour taillader la proie.

LE SAVIEZ-VOUS ?

• *Troodon* signifie "la dent qui blesse".

• On n'a trouvé que trois sortes de Troödontidés : *Troodon*, *Borogovia* et *Saurornithoides*.

• Pendant des années, tout ce que les scientifiques connaissaient de *Troodon* était une dent.

...mme Troodon, *...aurornithoides ...ait un coureur rapide.*

RESSEMBLANCE
Saurornithoides ressemblait beaucoup à *Troodon*. Ce dinosaure n'a été trouvé qu'en Mongolie.

79

Les Dromæosauridés

Ces carnivores très agiles étaient parmi les dinosaures les plus terrifiants. Ils avaient les dents acérées, un cerveau volumineux et de grands yeux à vision stéréoscopique. Une longue serre en forme de faucille située sur l'orteil interne pouvait pivoter à 180° et lacérer la peau dure de leurs proies.

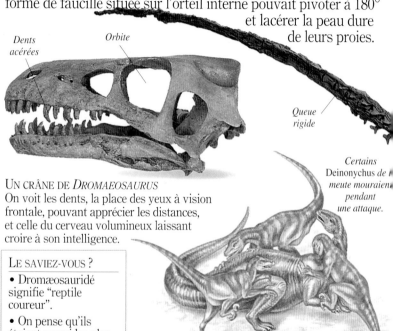

Dents acérées

Orbite

Queue rigide

UN CRÂNE DE *DROMAEOSAURUS*
On voit les dents, la place des yeux à vision frontale, pouvant apprécier les distances, et celle du cerveau volumineux laissant croire à son intelligence.

Certains
Deinonychus *de*
meute mouraient
pendant
une attaque.

LE SAVIEZ-VOUS ?

• Dromæosauridé signifie "reptile coureur".

• On pense qu'ils étaient parmi les plus intelligents et les plus agiles des dinosaures.

• Les plus grands mesuraient jusqu'à 2 m de haut.

• Ils vivaient au Crétacé.

EN MEUTE
Deinonychus chassait en meute et terrassait ses proies à coups de griffes et de serres. L'attaque en nombre permettait à ces terribles chasseurs de tuer des proies plus grosses qu'eux, comme l'herbivore *Tenontosaurus*.

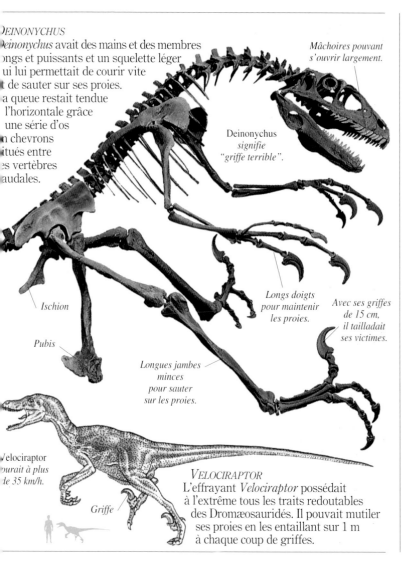

DEINONYCHUS

Deinonychus avait des mains et des membres longs et puissants et un squelette léger qui lui permettait de courir vite et de sauter sur ses proies. La queue restait tendue à l'horizontale grâce à une série d'os en chevrons situés entre les vertèbres caudales.

Mâchoires pouvant s'ouvrir largement.

Deinonychus signifie "griffe terrible".

Ischion

Pubis

Longs doigts pour maintenir les proies.

Avec ses griffes de 15 cm, il tailladait ses victimes.

Longues jambes minces pour sauter sur les proies.

Velociraptor courait à plus de 35 km/h.

Griffe

VELOCIRAPTOR

L'effrayant Velociraptor possédait à l'extrême tous les traits redoutables des Dromæosauridés. Il pouvait mutiler ses proies en les entaillant sur 1 m à chaque coup de griffes.

81

D'autres théropodes

Il existait une grande variété de théropodes. La plupart sont classés dans des groupes mais certains, comme *Baryonyx*, *Ornitholestes* et *Compsognathus* n'entrent dans aucun groupe établi. *Baryonyx* possédait une mâchoire de crocodile inhabituelle et une griffe meurtrière à chaque main. *Compsognathus* et *Ornitholestes* étaient deux des plus petits dinosaures.

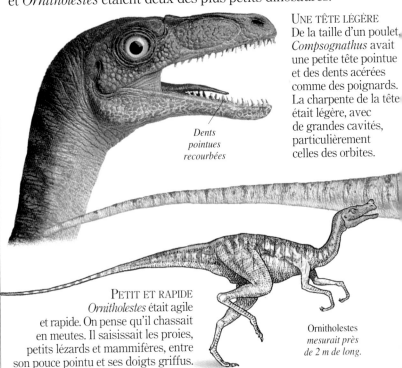

UNE TÊTE LÉGÈRE
De la taille d'un poulet, *Compsognathus* avait une petite tête pointue et des dents acérées comme des poignards. La charpente de la tête était légère, avec de grandes cavités, particulièrement celles des orbites.

*Dents
pointues
recourbées*

PETIT ET RAPIDE
Ornitholestes était agile et rapide. On pense qu'il chassait en meutes. Il saisissait les proies, petits lézards et mammifères, entre son pouce pointu et ses doigts griffus.

Ornitholestes
*mesurait près
de 2 m de long.*

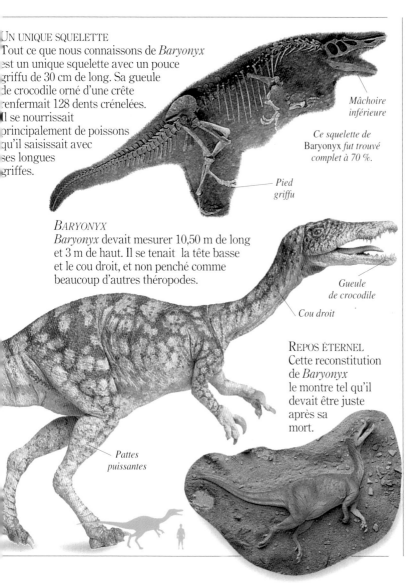

UN UNIQUE SQUELETTE
Tout ce que nous connaissons de *Baryonyx*
est un unique squelette avec un pouce
griffu de 30 cm de long. Sa gueule
de crocodile orné d'une crête
renfermait 128 dents crénelées.
Il se nourrissait
principalement de poissons
qu'il saisissait avec
ses longues
griffes.

*Mâchoire
inférieure*

Ce squelette de
Baryonyx *fut trouvé
complet à 70 %.*

*Pied
griffu*

BARYONYX
Baryonyx devait mesurer 10,50 m de long
et 3 m de haut. Il se tenait la tête basse
et le cou droit, et non penché comme
beaucoup d'autres théropodes.

*Gueule
de crocodile*

Cou droit

REPOS ÉTERNEL
Cette reconstitution
de *Baryonyx*
le montre tel qu'il
devait être juste
après sa
mort.

*Pattes
puissantes*

LES DINOSAURES ET LES OISEAUX

Aussi bizarre que cela puisse paraître, on considère aujourd'hui les oiseaux comme les plus proches descendants vivants des dinosaures. *Archaeopteryx,* découvert en 1861 en Allemagne, est l'oiseau le plus primitif. Il vivait il y a 140 millions d'années, à l'époque des dinosaures auxquels il ressemble à plus d'un égard.

UN FOSSILE DE *COMPSOGNATHUS*
Ce squelette ressemble beaucoup à celui d'*Archaeopteryx*, découver[t] en 1951, que l'on prit pend[ant] 22 ans pour un squelette de *Compsognathus*.

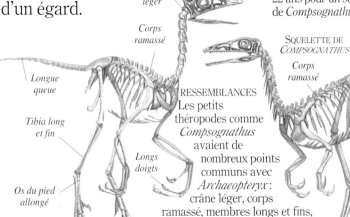

Crâne léger

Corps ramassé

Longue queue

Tibia long et fin

Longs doigts

Os du pied allongé

SQUELETTE D'*ARCHAEOPTERYX*

SQUELETTE DE *COMPSOGNATHUS*

Longue queue

Corps ramassé

RESSEMBLANCES
Les petits théropodes comme *Compsognathus* avaient de nombreux points communs avec *Archaeopteryx* : crâne léger, corps ramassé, membres longs et fins, et, chez certains, un bréchet (sternum d'oiseau).

Oiseau

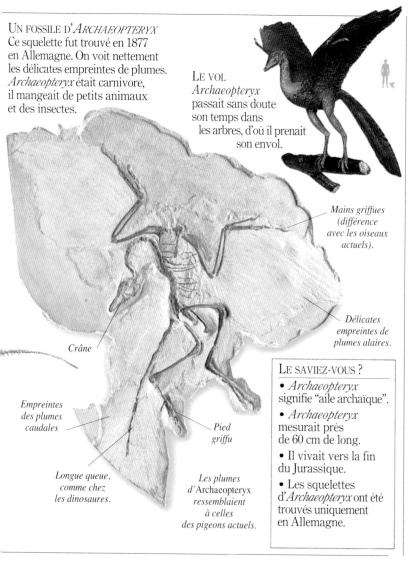

UN FOSSILE D'*ARCHAEOPTERYX*
Ce squelette fut trouvé en 1877
en Allemagne. On voit nettement
les délicates empreintes de plumes.
Archaeopteryx était carnivore,
il mangeait de petits animaux
et des insectes.

LE VOL
Archaeopteryx
passait sans doute
son temps dans
les arbres, d'où il prenait
son envol.

*Mains griffues
(différence
avec les oiseaux
actuels).*

*Délicates
empreintes de
plumes alaires.*

Crâne

*Empreintes
des plumes
caudales*

*Pied
griffu*

*Longue queue,
comme chez
les dinosaures.*

*Les plumes
d'Archaeopteryx
ressemblaient
à celles
des pigeons actuels.*

LE SAVIEZ-VOUS ?
• *Archaeopteryx*
signifie "aile archaïque".
• *Archaeopteryx*
mesurait près
de 60 cm de long.
• Il vivait vers la fin
du Jurassique.
• Les squelettes
d'*Archaeopteryx* ont été
trouvés uniquement
en Allemagne.

LES SAUROPODOMORPHES

On les divise en deux groupes : prosauropodes et sauropodes. Contrairement aux théropodes, la plupart des sauropodomorphes étaient quadrupèdes et se nourrissaient de plantes. Ils mesuraient de 2 à 40 m de long. Leur queue et leur cou étaient d'une longueur impressionnante.

GRIFFE
D'UN POUCE
D'*APATOSAURUS*

LE POUCE GRIFFU
De nombreux sauropodomorphes ont au pouce une longue griffe incurvée, dangereuse arme de défense.

Long cou flexible

Les prosauropodes com Plateosaurus étaient les premiers grands animaux terrestres.

Plateosaurus *devait souvent marcher sur deux pattes.*

Les mains développées tenaient les végétaux dont il se nourrissait.

Crâne minuscule

PLATEOSAURUS
On connaît plusieurs squelettes complets de *Plateosaurus*, l'un des plus anciens et des plus grands saurischiens du Trias. Bien que quadrupède, il pouvait certainement se dresser sur ses pattes postérieures pour se nourrir aux plus hautes branches.

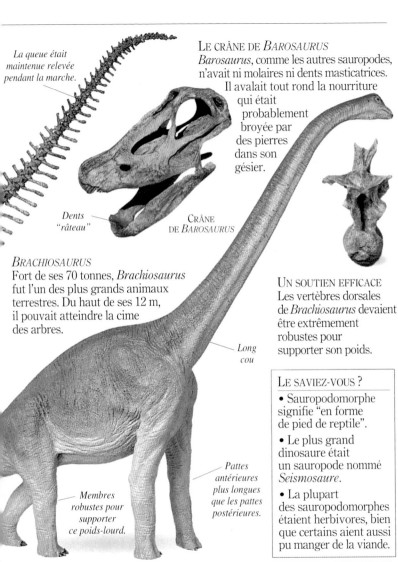

La queue était maintenue relevée pendant la marche.

LE CRÂNE DE *BAROSAURUS*
Barosaurus, comme les autres sauropodes, n'avait ni molaires ni dents masticatrices. Il avalait tout rond la nourriture qui était probablement broyée par des pierres dans son gésier.

Dents
"râteau"

CRÂNE
DE *BAROSAURUS*

BRACHIOSAURUS
Fort de ses 70 tonnes, *Brachiosaurus* fut l'un des plus grands animaux terrestres. Du haut de ses 12 m, il pouvait atteindre la cime des arbres.

UN SOUTIEN EFFICACE
Les vertèbres dorsales de *Brachiosaurus* devaient être extrêmement robustes pour supporter son poids.

*Long
cou*

LE SAVIEZ-VOUS ?

• Sauropodomorphe signifie "en forme de pied de reptile".

• Le plus grand dinosaure était un sauropode nommé *Seismosaure*.

• La plupart des sauropodomorphes étaient herbivores, bien que certains aient aussi pu manger de la viande.

Pattes antérieures plus longues que les pattes postérieures.

Membres robustes pour supporter ce poids-lourd.

Les prosauropodes

Les prosauropodes pourraient être
les ancêtres des sauropodes. Les uns
et les autres avaient de longs cous
et de petites têtes mais les prosauropodes
étaient en général plus petits. La plupart
des prosauropodes étaient herbivores,
mais certains étaient peut-être omnivores
(mangeant aussi bien viande que plantes).

GRIFFE
D'UN POUCE DE
MASSOSPONDYLUS

LE POUCE GRIFFU
Les dents antérieures
crénelées de *Massospondylus*
sont celles d'un omnivore.
Mais il pouvait aussi
attaquer des proies et se
défendre grâce à ses pouces
aux griffes aiguisées.

Dents

Orbite

UN PETIT CRÂNE
Avec ses 10 m de long, *Riojasaurus* était le plus
grand des prosauropodes. Comme eux,
il avait un crâne minuscule, comparé
à son corps massif, et des dents
en forme de feuilles
qui déchiquetaient
les plantes dont il
se nourrissait.

ANCHISAURUS
Ce prosauropode était
quadrupède mais il lui arrivait
de courir sur deux pattes.
Les pouces d'*Anchisaurus* étaient
munis de griffes en forme
de faucille, armes redoutables
contre ses attaquants.

*Patte
postérieure
plutôt fine*

LE SAVIEZ-VOUS ?
• Prosauropode signifie "avant les sauropodes".
• *Plateosaurus* fut le premier grand dinosaure.
• Des restes de prosauropodes ont été trouvés dans le monde entier, sauf en Antartique.

VUE DU DESSUS
Cette image d'*Anchisaurus* montre la longueur et la finesse de son corps. Sa queue devait être relevée lorsqu'il marchait.

Cou mince et flexible

DRESSÉ SUR SES PATTES
Plateosaurus, l'un des premiers et des plus grands dinosaures saurischiens, mesurait près de 8 m de long et, dressé sur ses pattes arrière, mangeait à la cime des arbres.

Avant-bras

Énorme griffe du pouce

Pouce griffu

DES GRIFFES PRÉHENSILES
Les doigts de *Plateosaurus* variaient beaucoup en longueur. Le plus grand, le pouce, se terminait par une énorme griffe pointue.

Les sauropodes

Les plus grands animaux terrestres faisaient partie du groupe des sauropodes, dinosaures saurischiens quadrupèdes et herbivores. Ils avaient un corps énorme, un long cou et des pattes d'éléphants. Leur interminable queue en forme de fouet leur servait d'arme contre leurs ennemis.

UNE QUEUE CONSOLIDÉE
Cet os situé sur la face inférieure de la queue de *Diplodocus*, la renforçait et la protégeait quand elle était appuyée sur le sol.

LES DENTS DE DEVANT
Diplodocus avait le crâne allongé et des dents en petits poignards à l'avant des mâchoires pour arracher cycas, ginkgos et conifères. Il n'avait pas de dents masticatrices et la nourriture devait être broyée par des pierres (gastrolithes) dans l'estomac.

Arrière de la mâchoire édenté.

Dents en petits poignards.

APATOSAURUS
Ce sauropode, souvent appelé *Brontosaurus,* était l'un des plus grand : 23 m de long, 27 tonnes. Sa tête ressemblait à celle d'un cheval, son cerveau était gros comme un poing humain, ses pattes massives rembourrées aux pieds.

La queue était formée de 82 os.

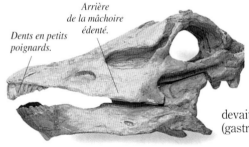

UNE ARME VÉRITABLE
Barosaurus ressemblait à *Diplodocus*, avec un cou plus long et une queue plus courte qui devait lui servir d'arme défensive.

Sa queue pouvait lui servir de fouet contre ses ennemis.

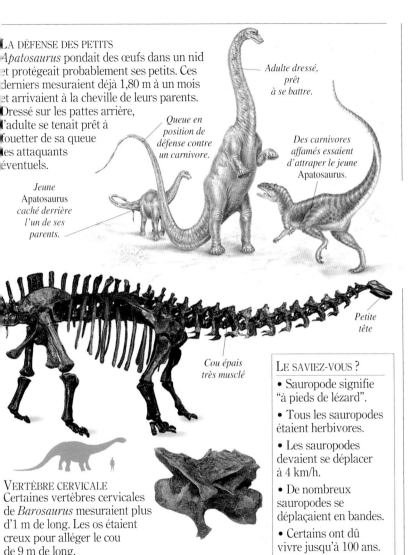

LA DÉFENSE DES PETITS
Apatosaurus pondait des œufs dans un nid et protégeait probablement ses petits. Ces derniers mesuraient déjà 1,80 m à un mois et arrivaient à la cheville de leurs parents. Dressé sur les pattes arrière, l'adulte se tenait prêt à fouetter de sa queue les attaquants éventuels.

Adulte dressé, prêt à se battre.

Queue en position de défense contre un carnivore.

Des carnivores affamés essaient d'attraper le jeune Apatosaurus.

Jeune Apatosaurus caché derrière l'un de ses parents.

Petite tête

Cou épais très musclé

LE SAVIEZ-VOUS ?

• Sauropode signifie "à pieds de lézard".

• Tous les sauropodes étaient herbivores.

• Les sauropodes devaient se déplacer à 4 km/h.

• De nombreux sauropodes se déplaçaient en bandes.

• Certains ont dû vivre jusqu'à 100 ans.

VERTÈBRE CERVICALE
Certaines vertèbres cervicales de *Barosaurus* mesuraient plus d'1 m de long. Les os étaient creux pour alléger le cou de 9 m de long.

D'autres sauropodes

Les scientifiques pensaient que les ankylosaures étaient les seuls dinosaures cuirassés, mais la découverte de *Saltasaurus* prouve que les sauropodes portaient une armure. On pensait aussi que les sauropodes vivaient dans l'eau ; nous savons aujourd'hui que la pression de l'eau les aurait empêché de respirer.

UN CRÂNE COURT
Le crâne arrondi de *Camarasaurus* est percé d'orbites et d'immenses narines. On peut compter 48 dents en forme de cuiller.

Le museau sans dents arrachait les feuilles des arbres.

SALTASAURUS
Saltasaurus était un petit sauropode de seulement 12 m de long. L'armure qui lui recouvrait le dos et les flancs se composait de grandes plaques osseuses entourées de plus petits nodules osseux. Les sauropodes cuirassés sont appelés les Titanosauridés.

SEGNOSAURUS
Ce sauropode est un dinosaure particulier. Il ne ressemble pas à un sauropodomorphe et les scientifiques le placent dans un groupe à part. Il mangeait des plantes, et peut-être aussi de la viande. Il éventrait les termitières avec ses longues griffes recourbées.

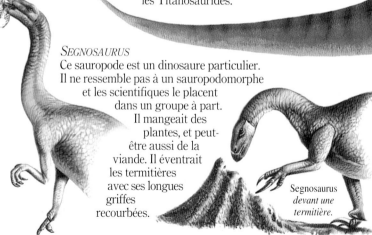

Segnosaurus *devant une termitière.*

CETIOSAURUS
L'un des premiers sauropodes, *Cetiosaurus*, possédait une solide ossature, lourde et massive. Plus tard, les os des sauropodes sont devenus creux et légers.

Cetiosaurus est le premier sauropode qui fut découvert.

Pattes robustes pour soutenir le poids énorme.

Cetiosaurus devait peser le poids de cinq éléphants.

Nodules osseux

LES NODULES
On n'a trouvé que des nodules éparpillés de *Saltasaurus*, on ne peut donc que deviner leur position sur le corps.

Granules osseux

UNE PEAU GRANULEUSE
Le corps de *Saltasaurus* était en partie recouvert de granules osseux de la taille d'un petit pois.

LES DINOSAURES ORNITHISCHIENS

LES PRINCIPAUX GROUPES

Il existait cinq groupes principaux
d'ornithischiens, tous herbivores,
les pieds en sabot, le bassin orienté
comme celui des oiseaux. Leur
bouche était munie d'un bec, sauf
chez les pachycéphalosaures.
Les ornithischiens étaient
bipèdes ou quadrupèdes.
Les bipèdes avaient une
queue rigide qui leur
servait de balancier
lorsqu'ils couraient
ou se nourrissaient.

CÉRATOPSIENS

ANKYLOSAURES

PACHYCÉPHALOSAURES

ORNITHOPODES

Les cinq groupes
Cératopsiens à collerette,
ankylosaures à cuirasse,
pachycéphalosaures à tête
en forme de dôme,
stégosaures avec leurs
plaques dorsales, et enfin
ornithopodes
aux allures d'oiseaux
composaient les ornitischiens.

STÉGOSAURES

Ornithischien

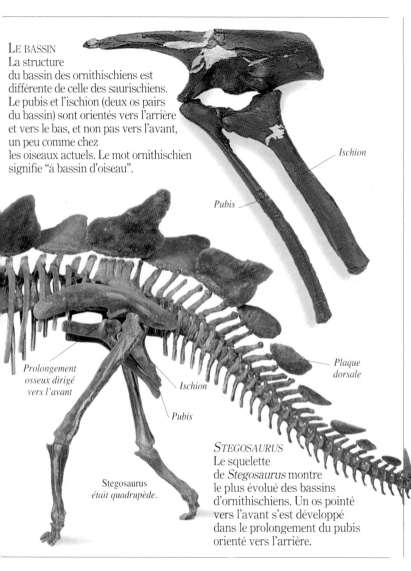

LE BASSIN
La structure
du bassin des ornithischiens est
différente de celle des saurischiens.
Le pubis et l'ischion (deux os pairs
du bassin) sont orientés vers l'arrière
et vers le bas, et non pas vers l'avant,
un peu comme chez
les oiseaux actuels. Le mot ornithischien
signifie "à bassin d'oiseau".

Ischion

Pubis

*Prolongement
osseux dirigé
vers l'avant*

Ischion

Pubis

*Plaque
dorsale*

Stegosaurus
était quadrupède.

STEGOSAURUS
Le squelette
de *Stegosaurus* montre
le plus évolué des bassins
d'ornithischiens. Un os pointé
vers l'avant s'est développé
dans le prolongement du pubis
orienté vers l'arrière.

LES STÉGOSAURES

Ils se caractérisaient par de grandes plaques ou des piquants qui ornaient leur dos arrondi, servant peut-être de régulateurs de la température du corps, ou bien de moyen pour se protéger ou séduire.

Orbite

LE CRÂNE DE *STEGOSAURUS*
Ce crâne étroit et allongé appartient à *Stegosaurus* : bec édenté et petites dents jugales pour mâcher les végétaux.

Les stégosaures avaient une petite tête et un cerveau gros comme une balle de golf. Ils rasaient le sol de leur tête pour y ramasser les plantes et les fruits.

UNE QUEUE REDOUTABLE
Stegosaurus est le plus connu de tous les stégosaures. Sa queue se terminait par 4 longs piquants osseux qui devenaient une arme redoutable quand il la balançait contre un prédateur comme *Allosaurus*.

Piquants acérés

DES PLAQUES ET DES PIQUANTS
Voici vues du dessus les plaques assymétriques le long du dos de *Stegosaurus*. On remarque également les 4 épines caudales pointant vers l'extérieur et vers l'arrière, ultime protection dans la fuite.

Piquants acérés

Plaques dissymétriques

STEGOSAURUS
Les plaques dorsales étaient peut-être là pour séduire, ou bien pour capter la chaleur du soleil ou la fraîcheur du soir. La taille des plaques variait selon leur position : les plus grandes, dans la région des hanches, pouvaient atteindre 75 cm de hauteur.

Plaques plus hautes au niveau du bassin.

UNE PLAQUE FOSSILISÉE
Elle faisait partie des petites plaques à l'avant du corps de *Stegosaurus*. Ses fines plaques osseuses étaient parcourues de vaisseaux sanguins.

Tête minuscule

99

D'autres stégosaures

Chez les stégosaures, les pattes
antérieures étaient plus courtes
que les pattes postérieures. Peut-être
se dressaient-ils sur les pattes arrière
pour atteindre la végétation des cimes
des arbres, s'appuyant sur la queue
et trouvant leur équilibre sur
le trépied ainsi formé. Les plaques
et les piquants pouvaient jouer
des rôles différents selon
les stégosaures.

*Moulage
du "deuxième
cerveau".*

*Moulage
de l'encéphale.*

*T*UOJIANGOSAURUS
Certains scientifiques pensent
que la reconstitution de ce squelette
est inexacte. Pour eux, les membres
antérieurs devraient être plus droits
et non torses comme ceux d'un lézard.

D*EUX CERVEAUX*
On a cru que les stégosaures avaient un
second cerveau occupant une importante
cavité dans les hanches. Il s'agissait en
fait d'un centre nerveux qui contrôlait
les membres postérieurs et la queue.

*Longues épines
pour blesser
les ennemis.*

*K*ENTROSAURUS
Six paires de plaques
osseuses ornaient le cou
et les épaules de *Kentrosaurus*.
Ces plaques recouvraient trois paires d'épines plates
et cinq paires d'épines longues et pointues.

*Queue
maintenue
au-dessus du sol*

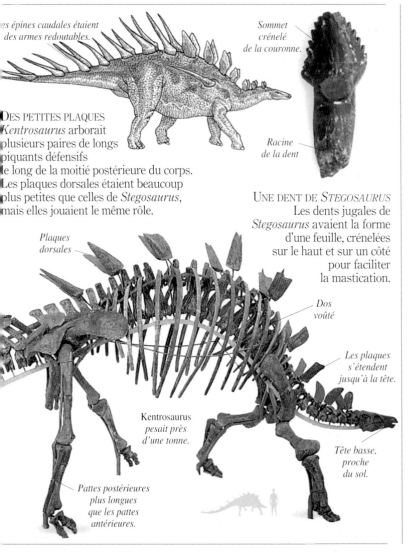

Les épines caudales étaient des armes redoutables.

Sommet crénelé de la couronne.

DES PETITES PLAQUES
Kentrosaurus arborait plusieurs paires de longs piquants défensifs le long de la moitié postérieure du corps. Les plaques dorsales étaient beaucoup plus petites que celles de *Stegosaurus*, mais elles jouaient le même rôle.

Racine de la dent

UNE DENT DE *STEGOSAURUS*
Les dents jugales de *Stegosaurus* avaient la forme d'une feuille, crénelées sur le haut et sur un côté pour faciliter la mastication.

Plaques dorsales

Dos voûté

Les plaques s'étendent jusqu'à la tête.

Kentrosaurus pesait près d'une tonne.

Tête basse, proche du sol.

Pattes postérieures plus longues que les pattes antérieures.

LES ANKYLOSAURES

Protégés par des piquants
et des plaques osseuses,
ils étaient les "tanks" cuirassés
du monde des dinosaures,
formant deux groupes :
Ankylosauridés et Nodosauridés.

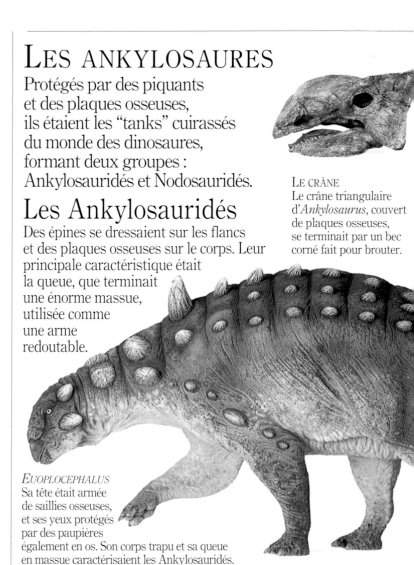

LE CRÂNE
Le crâne triangulaire
d'*Ankylosaurus*, couvert
de plaques osseuses,
se terminait par un bec
corné fait pour brouter.

Les Ankylosauridés

Des épines se dressaient sur les flancs
et des plaques osseuses sur le corps. Leur
principale caractéristique était
la queue, que terminait
une énorme massue,
utilisée comme
une arme
redoutable.

EUOPLOCEPHALUS
Sa tête était armée
de saillies osseuses,
et ses yeux protégés
par des paupières
également en os. Son corps trapu et sa queue
en massue caractérisaient les Ankylosauridés.

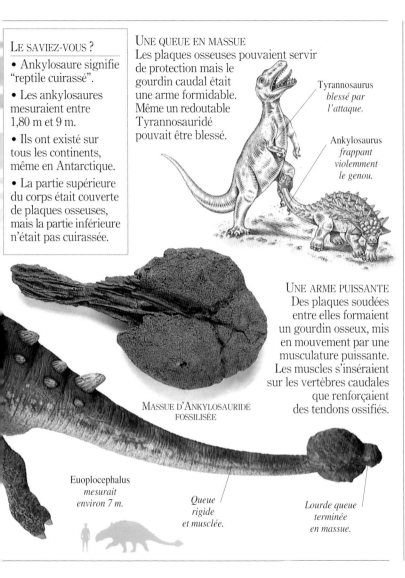

LE SAVIEZ-VOUS ?

• Ankylosaure signifie "reptile cuirassé".

• Les ankylosaures mesuraient entre 1,80 m et 9 m.

• Ils ont existé sur tous les continents, même en Antarctique.

• La partie supérieure du corps était couverte de plaques osseuses, mais la partie inférieure n'était pas cuirassée.

UNE QUEUE EN MASSUE

Les plaques osseuses pouvaient servir de protection mais le gourdin caudal était une arme formidable. Même un redoutable Tyrannosauridé pouvait être blessé.

Tyrannosaurus *blessé par l'attaque.*

Ankylosaurus *frappant violemment le genou.*

UNE ARME PUISSANTE

Des plaques soudées entre elles formaient un gourdin osseux, mis en mouvement par une musculature puissante. Les muscles s'inséraient sur les vertèbres caudales que renforçaient des tendons ossifiés.

MASSUE D'ANKYLOSAURIDÉ FOSSILISÉE

Euoplocephalus *mesurait environ 7 m.*

Queue rigide et musclée.

Lourde queue terminée en massue.

103

Les Nodosauridés

Cuirassés de plaques osseuses
et armés de dangereux piquants,
mais dépourvus de la terrible
queue en massue, c'étaient les plus
primitifs des ankylosaures .
Leur taille variait de 1,60 m
à 7,60 m. Des fossiles
de Nodosauridés ont été
retrouvés dans le monde entier.

Creux entre les mâchoires pour les bajoues.

Plaques au sommet du crâne.

UN CRÂNE DE MOUTON
Le crâne en forme de poire d'*Edmontonia*
ressemble à celui d'un mouton.
Il emmagasinait la nourriture
dans des bajoues. Le sommet
du crâne était renforcé
par des plaques
osseuses.

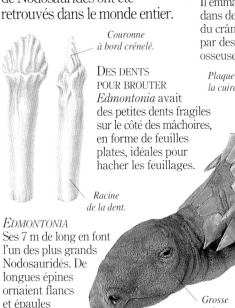

Couronne à bord crénelé.

DES DENTS
POUR BROUTER
Edmontonia avait
des petites dents fragiles
sur le côté des mâchoires,
en forme de feuilles
plates, idéales pour
hacher les feuillages.

Plaques de la cuirasse

Racine de la dent.

EDMONTONIA
Ses 7 m de long en font
l'un des plus grands
Nodosauridés. De
longues épines
ornaient flancs
et épaules
et des plaques
résistantes
protégeaient son cou
des crocs de Tyrannosauridés.

Épine de l'épaule

Grosse tête

Pieds larges

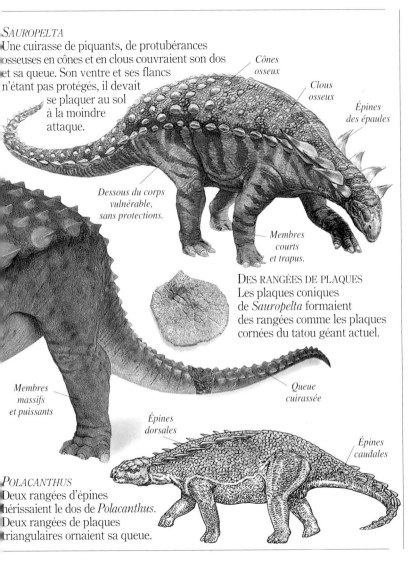

SAUROPELTA

Une cuirasse de piquants, de protubérances osseuses en cônes et en clous couvraient son dos et sa queue. Son ventre et ses flancs n'étant pas protégés, il devait se plaquer au sol à la moindre attaque.

Cônes osseux

Clous osseux

Épines des épaules

Dessous du corps vulnérable, sans protections.

Membres courts et trapus.

DES RANGÉES DE PLAQUES

Les plaques coniques de *Sauropelta* formaient des rangées comme les plaques cornées du tatou géant actuel.

Membres massifs et puissants

Queue cuirassée

Épines dorsales

Épines caudales

POLACANTHUS

Deux rangées d'épines hérissaient le dos de *Polacanthus*. Deux rangées de plaques triangulaires ornaient sa queue.

LES ORNITHOPODES

Tous herbivores, ils avaient un bec corné, des mâchoires et des dents jugales adaptées à la mastication des végétaux. Ces bipèdes se mettaient parfois à quatre pattes pour chercher leur nourriture. Leurs pieds avaient trois ou quatre orteils munis de griffes en sabot, et leurs mains quatre ou cinq doigts.

Dents jugales

Dents en forme de défenses.

LA VIE EN GROUPE
On pense qu'*Hypsilophodon* se déplaçait en bandes pour se protéger des théropodes prédateurs. Ils pouvaient ainsi s'avertir les uns les autres d'un danger et avoir une meilleure chance de survivre.

HETERODONTOSAURUS
Il avait trois types de dents : des dents antérieures supérieures qui s'appuyaient contre le bec inférieur édenté, des dents jugales en ciseaux, et une paire de dents en défenses sur chacune des mâchoires.

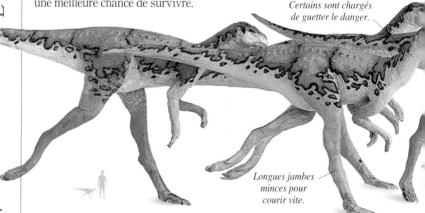

Certains sont chargés de guetter le danger.

Longues jambes minces pour courir vite.

Tendons ossifiés

UN SUPPORT POUR LES VERTÈBRES
Chez les ornithopodes comme *Iguanodon*, un enchevêtrement de tendons ossifiés renforçait les vertèbres au-dessus de la hanche et dans le dos, et raidissait la queue, leur permettant de s'équilibrer debout sur les pattes arrières.

Griffe en forme de sabot.

LES TROIS ORTEILS
Les solides pieds à trois orteils de *Corythosaurus* étaient bâtis pour supporter son énorme poids. Cet ornithopode du groupe des hadrosaures pesait autour de 4 tonnes et mesurait environ 7,50 m de long.

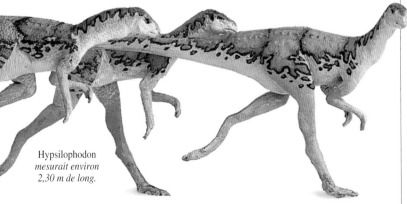

Hypsilophodon *mesurait environ 2,30 m de long.*

Les Iguanodontidés

Famille de bipèdes herbivores
aux longs doigts terminés par des griffes
en sabot. Leurs bras étaient trapus et
puissants et il semble qu'ils marchaient
souvent à quatre pattes pour chercher
de la nourriture. Ils mâchaient
la nourriture à l'aide de longues dents
crénelées disposées sur une seule
rangée. Les Iguanodontidés
les plus connus sont *Iguanodon*
et *Ouranosaurus*.

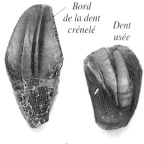

Bord
de la dent
crénelé

Dent
usée

LES MARQUES D'USURE
Ces deux dents d'*Iguanodon*
sont à des stades d'usure
différents. Celle de droite
a dû s'user contre des végétaux
coriaces, celle de gauche
semble avoir à peine servi.

Iguanodon
*frappant un
théropode au cou.*

DES ARMES MEURTRIÈRES
Les pouces d'*Iguanodon*
étaient armés d'épines osseuses.
L'animal devait s'en servir
contre des ennemis comme
les théropodes qu'il visait
à la gorge, au ventre
ou aux yeux.

IGUANODON
Son bec édenté arrachait les
végétaux. Ses bras étaient très
courts, ses pattes postérieures
se terminaient par trois orteils
solides qui supportaient
son poids. Sa queue massive
et raide était maintenue
presque horizontalement.

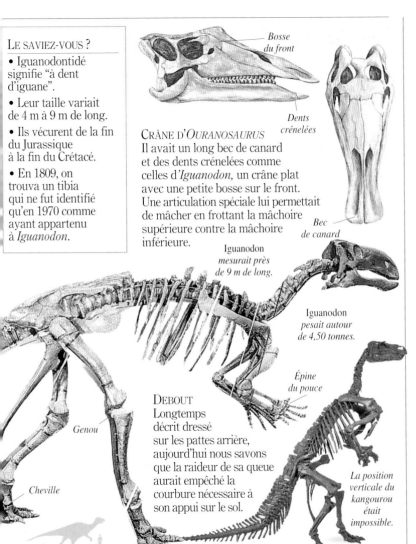

LE SAVIEZ-VOUS ?

• Iguanodontidé signifie "à dent d'iguane".

• Leur taille variait de 4 m à 9 m de long.

• Ils vécurent de la fin du Jurassique à la fin du Crétacé.

• En 1809, on trouva un tibia qui ne fut identifié qu'en 1970 comme ayant appartenu à *Iguanodon*.

Bosse du front

Dents crénelées

CRÂNE D'*OURANOSAURUS*
Il avait un long bec de canard et des dents crénelées comme celles d'*Iguanodon*, un crâne plat avec une petite bosse sur le front. Une articulation spéciale lui permettait de mâcher en frottant la mâchoire supérieure contre la mâchoire inférieure.

Bec de canard

Iguanodon *mesurait près de 9 m de long.*

Iguanodon *pesait autour de 4,50 tonnes.*

Épine du pouce

DEBOUT
Longtemps décrit dressé sur les pattes arrière, aujourd'hui nous savons que la raideur de sa queue aurait empêché la courbure nécessaire à son appui sur le sol.

Genou

Cheville

La position verticale du kangourou était impossible.

109

Les hadrosaures

Végétariens surnommés "becs de canard" à cause de la forme de leur bec édenté. À l'arrière du bec, des centaines de dents, rangées de chaque côté des mâchoires, s'aiguisaient les unes contre les autres. Ces bipèdes se tenaient le corps horizontal, la queue raide en extension servant de balancier. Deux principaux groupes : les "hadrosaurinés" au crâne aplati et les "lambéosaurinés", avec leur crête creuse.

BATTERIE DE DENTS SERRÉES D'HADROSAURE

Les dents haut glissa vers l'extér

COUPE TRANSVERSALE DE MÂCHOIRE D'HADROSAURE

Les dents du bas ne bougeaient pa

LA MASTICATION

Les hadrosaures mastiquaient en frottant les dents du haut contre celles du bas. En se refermant, la mâchoire inférieure s'encastrait dans celle du haut.

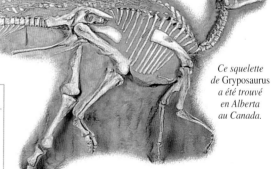

Tendons ossifiés

Large queue

Ce squelette de Gryposaurus *a été trouvé en Alberta au Canada.*

LE SAVIEZ-VOUS ?

• Hadrosaure signifie "gros lézard".

• Leur taille variait de 3 à 15 m de longueur.

• On les surnomme "becs de canard" en raison de leur long bec aplati.

GRYPOSAURUS

Comme chez de nombreux hadrosaures, un réseau de tendons ossifiés raidissaient sa colonne vertébrale et sa queue. Les hadrosaures auraient pu nager avec cette large queue ; mais sans doute n'allaient-ils dans l'eau que pour échapper à un adversaire.

CORYTHOSAURUS
Les griffes en forme de sabot et les doigts rembourrés des mains montrent que *Corythosaurus*, bien que bipède, marchait souvent à quatre pattes. Son régime comprenait les végétaux les plus coriaces – fougères, aiguilles de pin – qu'il mâchait grâce à une batterie de dents rapprochées.

Mains pouvant s'accrocher aux branches.

Corythosaurus *marchait à quatre pattes pour brouter la végétation basse.*

Queue rigide maintenue horizontalement.

Les hadrosaurinés

Hadrosaures à crâne plat, ils arboraient parfois au-dessus du nez une bosse qui servait de résonateur. Certains hadrosaurinés avaient un bec recourbé vers le haut en forme de cuiller. Ils vivaient à la fin du Crétacé en Amérique du Nord, en Europe et en Asie.

VIE DE FAMILLE
Maiasaura pondait au sein d'énormes colonies, chaque année au même endroit. Son nom signifie "lézard bonne mère " : il s'occupait de ses petits jusqu'à ce qu'ils se débrouillent tout seuls.

Maiasaura
*mâle nourrissant
son petit.*

*Les œufs étaient
déposés au milieu
d'un tas de terre
et de végétaux.*

*La femelle
veille sur
les œufs.*

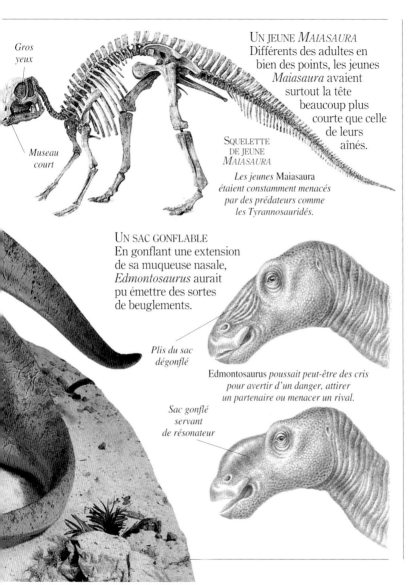

Gros yeux

Museau court

UN JEUNE *MAIASAURA*
Différents des adultes en
bien des points, les jeunes
Maiasaura avaient
surtout la tête
beaucoup plus
courte que celle
de leurs
aînés.

SQUELETTE
DE JEUNE
MAIASAURA

Les jeunes Maiasaura
*étaient constamment menacés
par des prédateurs comme
les Tyrannosauridés.*

UN SAC GONFLABLE
En gonflant une extension
de sa muqueuse nasale,
Edmontosaurus aurait
pu émettre des sortes
de beuglements.

*Plis du sac
dégonflé*

Edmontosaurus *poussait peut-être des cris
pour avertir d'un danger, attirer
un partenaire ou menacer un rival.*

*Sac gonflé
servant
de résonateur*

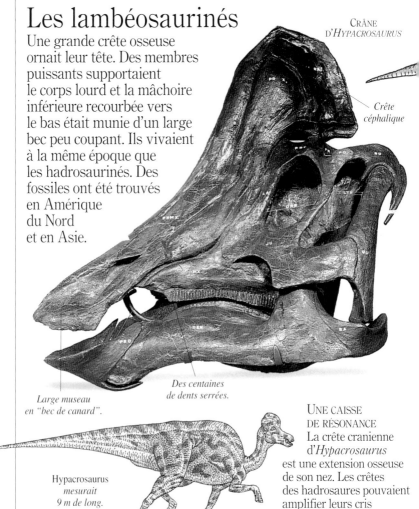

Les lambéosaurinés

Une grande crête osseuse ornait leur tête. Des membres puissants supportaient le corps lourd et la mâchoire inférieure recourbée vers le bas était munie d'un large bec peu coupant. Ils vivaient à la même époque que les hadrosaurinés. Des fossiles ont été trouvés en Amérique du Nord et en Asie.

CRÂNE
D'*HYPACROSAURUS*

*Crête
céphalique*

*Large museau
en "bec de canard".*

*Des centaines
de dents serrées.*

Hypacrosaurus
*mesurait
9 m de long.*

UNE CAISSE
DE RÉSONANCE
La crête cranienne
d'*Hypacrosaurus*
est une extension osseuse
de son nez. Les crêtes
des hadrosaures pouvaient
amplifier leurs cris
et renforcer leur odorat.

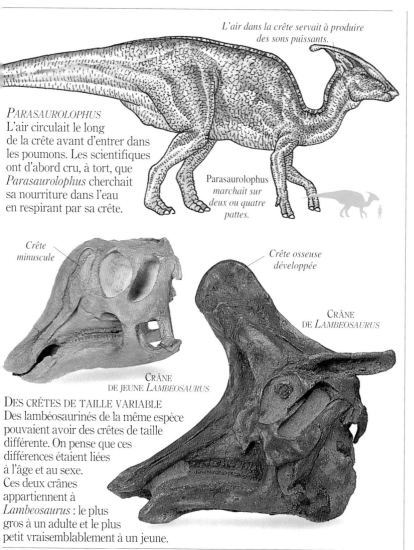

L'air dans la crête servait à produire des sons puissants.

PARASAUROLOPHUS
L'air circulait le long de la crête avant d'entrer dans les poumons. Les scientifiques ont d'abord cru, à tort, que *Parasaurolophus* cherchait sa nourriture dans l'eau en respirant par sa crête.

Parasaurolophus marchait sur deux ou quatre pattes.

Crête minuscule

Crête osseuse développée

CRÂNE
DE *LAMBEOSAURUS*

CRÂNE
DE JEUNE *LAMBEOSAURUS*

DES CRÊTES DE TAILLE VARIABLE
Des lambéosaurinés de la même espèce pouvaient avoir des crêtes de taille différente. On pense que ces différences étaient liées à l'âge et au sexe. Ces deux crânes appartiennent à *Lambeosaurus* : le plus gros à un adulte et le plus petit vraisemblablement à un jeune.

LES PACHYCÉPHALOSAURES

L'épais dôme crânien des pachycéphalosaures leur a valu le surnom de "dinosaures à tête en os". Les mâles rivaux se battaient tête contre tête, le cerveau protégé par l'épaisseur de l'os. Leur excellent odorat devait leur permettre de détecter les prédateurs à temps pour les fuir.

UNE COURONNE DE CORNES
Derrière son dôme, *Stygimoloch* arborait une couronne de cornes qui devaient être plus ornementales que fonctionnelles.

UN AMAS DE NODULES
Prenocephale portait sur la tête un dôme solide et bien développé et des petits nodules à l'arrière.

LE SAVIEZ-VOUS ?
- Pachycéphalosaure signifie "lézard à tête épaisse".
- Leur taille variait entre 90 cm et 4,60 m de longueur.
- Leur alimentation se composait de fruits, de feuilles et d'insectes.

STEGOCERAS
Stegoceras avait à peu près la taille d'une chèvre, 2,4 m de long. Les crânes de *Stegoceras* identifiés ont des dômes crâniens de différentes épaisseurs : les plus épais et les plus élevés appartenaient sans doute à des adultes mâles.

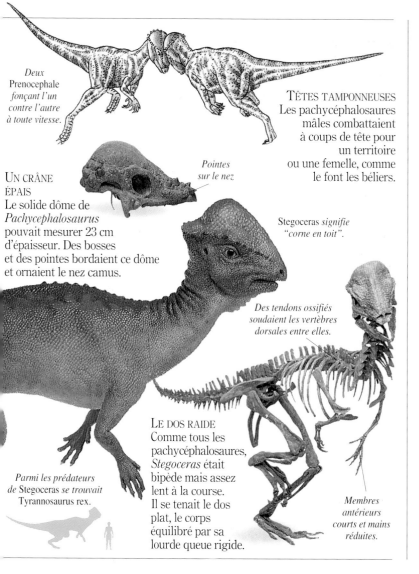

Deux Prenocephale fonçant l'un contre l'autre à toute vitesse.

UN CRÂNE ÉPAIS
Le solide dôme de *Pachycephalosaurus* pouvait mesurer 23 cm d'épaisseur. Des bosses et des pointes bordaient ce dôme et ornaient le nez camus.

Pointes sur le nez

TÊTES TAMPONNEUSES
Les pachycéphalosaures mâles combattaient à coups de tête pour un territoire ou une femelle, comme le font les béliers.

Stegoceras *signifie "corne en toit".*

Des tendons ossifiés soudaient les vertèbres dorsales entre elles.

LE DOS RAIDE
Comme tous les pachycéphalosaures, *Stegoceras* était bipède mais assez lent à la course. Il se tenait le dos plat, le corps équilibré par sa lourde queue rigide.

Parmi les prédateurs de Stegoceras *se trouvait* Tyrannosaurus rex.

Membres antérieurs courts et mains réduites.

LES CÉRATOPSIENS

Cornes, collerette osseuse et bec
de perroquet étaient les signes
distinctifs des cératopsiens.
Tous quadrupèdes et herbivores,
ils vivaient en hordes nombreuses.
Les cératopsiens peuvent être divisées
en deux groupes : les longues collerettes
et les collerettes courtes. Ils furent les derniers
dinosaures à disparaître.

CRÂNE DE
PSITTACOSAURUS

Psittacosaurus
*devait se mouvoir
à quatre pattes
quand il cherchait
sa nourriture.*

PSITTACOSAURUS
Cet ancêtre bipède des cératopsiens
mesurait 2 m de long.
Comme eux il avait
un bec de perroquet
et une toute
petite collerette,
mais il n'avait
pas de corne.

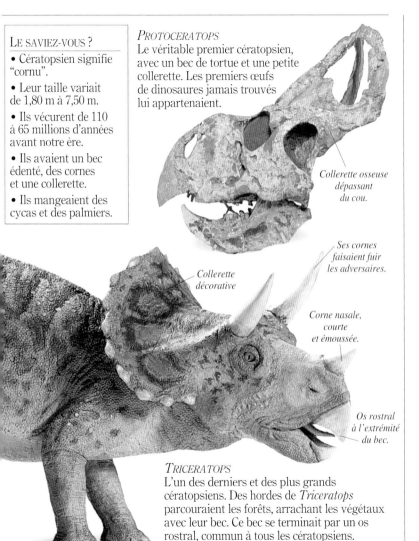

LE SAVIEZ-VOUS ?

• Cératopsien signifie "cornu".

• Leur taille variait de 1,80 m à 7,50 m.

• Ils vécurent de 110 à 65 millions d'années avant notre ère.

• Ils avaient un bec édenté, des cornes et une collerette.

• Ils mangeaient des cycas et des palmiers.

PROTOCERATOPS

Le véritable premier cératopsien, avec un bec de tortue et une petite collerette. Les premiers œufs de dinosaures jamais trouvés lui appartenaient.

*Collerette osseuse
dépassant
du cou.*

*Collerette
décorative*

*Ses cornes
faisaient fuir
les adversaires.*

*Corne nasale,
courte
et émoussée.*

*Os rostral
à l'extrémité
du bec.*

TRICERATOPS

L'un des derniers et des plus grands cératopsiens. Des hordes de *Triceratops* parcouraient les forêts, arrachant les végétaux avec leur bec. Ce bec se terminait par un os rostral, commun à tous les cératopsiens.

Les cératopsiens à collerette courte

Ils portaient de longues cornes nasales et des petites cornes sur les sourcils. *Styracosaurus* avait la plus spectaculaire collerette, ornée de longs piquants.
La découverte de cinq petits près d'un *Brachyceratops* adulte montre que ces cératopsiens s'occupaient de leur progéniture. Les mâles devaient protéger les petits et les femelles contre les prédateurs.

CRÂNE
DE *STYRACOSAURUS*

Longue corne nasale

STYRACOSAURUS
Six longues épines bordaient la collerette de *Styracosaurus*. Une corne meurtrière de 60 cm de long et 15 cm d'épaisseur ornait son nez et des piquants surmontaient ses yeux.
Il était sans doute bon coureur, capable d'atteindre une vitesse de 32 km/h.

Piquants au bord de la collerette

Corne nasale

Arche osseuse

UN BEC FOSSILE
Le bec des cératopsiens leur permettait de trancher branches et végétaux coriaces. Ce bec était recouvert de corne adhérent aux rugosités de l'os.

Couche cornée fixée aux aspérités de la surface.

Bord ondulé de la collerette

CENTROSAURUS
Au contraire des autres cératopsiens, la corne nasale de *Centrosaurus* était recourbée vers l'avant. Sa courte collerette avait un bord ondulé et une paire de longs crochets centraux projetés vers l'avant.

Le rhinocéros possède deux cornes nasales.

RESSEMBLANCE
Le rhinocéros ressemble aux cératopsiens par son corps trapu et ses cornes faciales. Un rhinocéros peut charger à 45 km/h, vitesse atteinte sans doute facilement par les cératopsiens comme *Centrosaurus*.

Les cératopsiens à longue collerette

Leur collerette osseuse, parfois armée de courtes épines et allégée par des trous, s'étendait jusqu'aux épaules ou même au-delà. Le museau portait une petite corne et les orbites de longues cornes, au contraire des cératopsiens à collerette courte.

Corne supraorbitaire

Corne faite d'os plein.

UN FOSSILE DE CORNE
L'intérieur fossilisé de cette corne supraorbitaire de *Triceratops* était enveloppé de corne sur l'animal vivant.

UN CRÂNE ADAPTÉ
Triceratops avait une solide collerette, une corne nasale courte et deux cornes supraorbitaires de 1 m de long, un bec de perroquet et les dents en cisailles adaptés au régime végétarien.

Bec pour arracher les végétaux.

Dents pointues pour couper les feuillages.

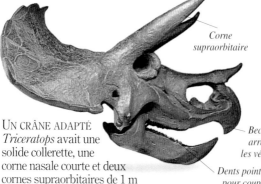

Collerette osseuse percée de deux larges trous pour l'alléger.

TOROSAURUS
De la pointe du museau au bord de la collerette, son crâne mesurait 2,60 m – la taille d'une petite voiture. C'est la tête la plus grosse ayant jamais existé dans le règne animal.

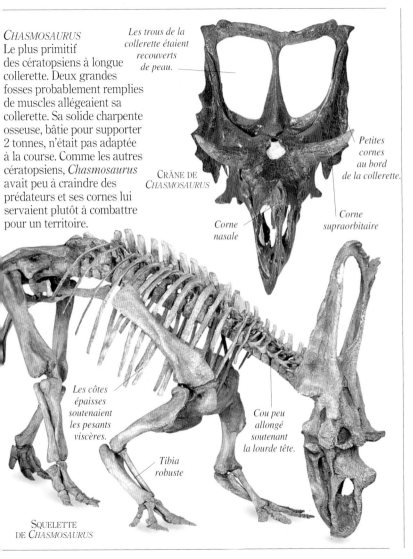

CHASMOSAURUS
Le plus primitif
des cératopsiens à longue
collerette. Deux grandes
fosses probablement remplies
de muscles allégeaient sa
collerette. Sa solide charpente
osseuse, bâtie pour supporter
2 tonnes, n'était pas adaptée
à la course. Comme les autres
cératopsiens, *Chasmosaurus*
avait peu à craindre des
prédateurs et ses cornes lui
servaient plutôt à combattre
pour un territoire.

Les trous de la
collerette étaient
recouverts
de peau.

CRÂNE DE
CHASMOSAURUS

Petites
cornes
au bord
de la collerette.

Corne
supraorbitaire

Corne
nasale

Les côtes
épaisses
soutenaient
les pesants
viscères.

Cou peu
allongé
soutenant
la lourde tête.

Tibia
robuste

SQUELETTE
DE *CHASMOSAURUS*

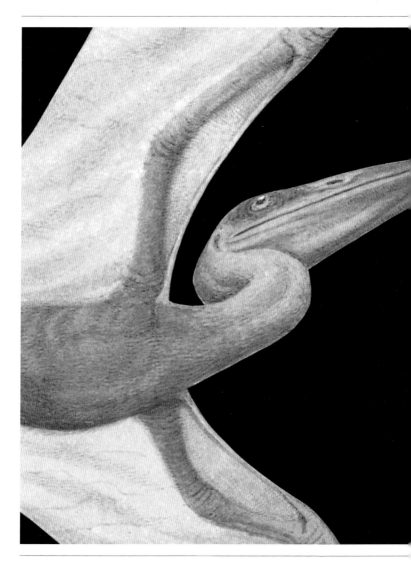

LES REPTILES MARINS ET VOLANTS

LES PRINCIPAUX GROUPES

Quand les dinosaures régnaient sur terre,
d'autres reptiles vivaient dans la mer et les
airs. Les reptiles marins, ichthyosaures
et plésiosaures, devaient fréquemment
faire surface pour respirer.
Les reptiles volants,
ou ptérosaures, comptèrent
les plus grands animaux
volants ; ils forment
deux groupes :
les Rhamphorhynchoïdés
et les Ptérodactyloïdés.

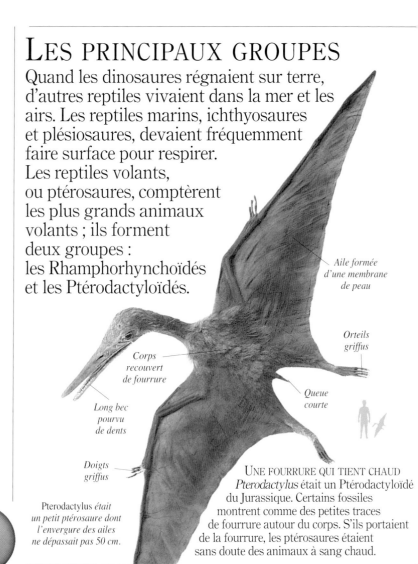

*Aile formée
d'une membrane
de peau*

*Orteils
griffus*

*Corps
recouvert
de fourrure*

*Queue
courte*

*Long bec
pourvu
de dents*

*Doigts
griffus*

Pterodactylus *était
un petit ptérosaure dont
l'envergure des ailes
ne dépassait pas 50 cm.*

UNE FOURRURE QUI TIENT CHAUD
Pterodactylus était un Ptérodactyloïdé
du Jurassique. Certains fossiles
montrent comme des petites traces
de fourrure autour du corps. S'ils portaient
de la fourrure, les ptérosaures étaient
sans doute des animaux à sang chaud.

Reptile

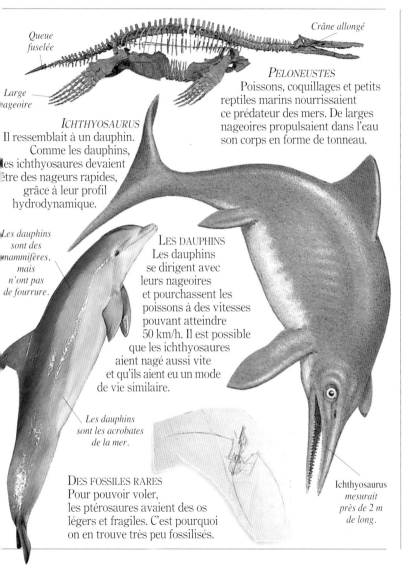

Queue
fuselée

Crâne allongé

Large
nageoire

ICHTHYOSAURUS
Il ressemblait à un dauphin.
Comme les dauphins,
les ichthyosaures devaient
être des nageurs rapides,
grâce à leur profil
hydrodynamique.

PELONEUSTES
Poissons, coquillages et petits
reptiles marins nourrissaient
ce prédateur des mers. De larges
nageoires propulsaient dans l'eau
son corps en forme de tonneau.

*Les dauphins
sont des
mammifères,
mais
n'ont pas
de fourrure.*

LES DAUPHINS
Les dauphins
se dirigent avec
leurs nageoires
et pourchassent les
poissons à des vitesses
pouvant atteindre
50 km/h. Il est possible
que les ichthyosaures
aient nagé aussi vite
et qu'ils aient eu un mode
de vie similaire.

*Les dauphins
sont les acrobates
de la mer.*

DES FOSSILES RARES
Pour pouvoir voler,
les ptérosaures avaient des os
légers et fragiles. C'est pourquoi
on en trouve très peu fossilisés.

*Ichthyosaurus
mesurait
près de 2 m
de long.*

LES REPTILES MARINS

Les reptiles marins sont d'anciens reptiles terrestres qui, au cours de leur évolution, se sont adaptés à la vie aquatique. Les pattes et les doigts se sont raccourcis et élargis pour devenir des nageoires et le corps s'est fuselé pour aller plus vite dans l'eau.

DES NAGEOIRES MODIFIÉES
Le plésiosaure *Cryptocleidus* mesurait 4 m de long et chacune de ses quatre nageoires environ 1 m. Il "volait" littéralement dans l'eau en battant des nageoires comme nos manchots.

Chaque nageoire se terminait par cinq longs doigts.

Dents longues et acérées.

Dents coniques et recourbées

Des nageoires souples et puissantes propulsaient dans l'eau Pliosaurus.

DES MACHOIRES FLEXIBLES
Mosasaurus était un lézard marin géant qui vivait à la fin du Crétacé dans les eaux côtières peu profondes. Les articulations flexibles de son crâne et de sa mandibule ainsi que ses dents aiguisées recourbées, rendaient sa morsure mortelle.

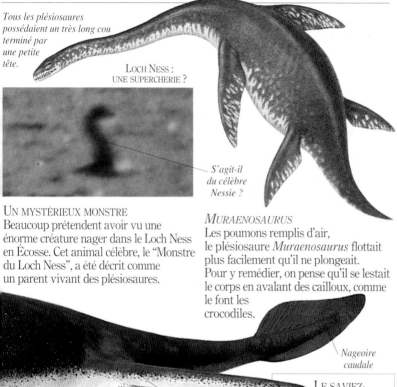

Tous les plésiosaures possédaient un très long cou terminé par une petite tête.

LOCH NESS :
UNE SUPERCHERIE ?

S'agit-il du célèbre Nessie ?

UN MYSTÉRIEUX MONSTRE

Beaucoup prétendent avoir vu une énorme créature nager dans le Loch Ness en Écosse. Cet animal célèbre, le "Monstre du Loch Ness", a été décrit comme un parent vivant des plésiosaures.

MURAENOSAURUS

Les poumons remplis d'air, le plésiosaure *Muraenosaurus* flottait plus facilement qu'il ne plongeait. Pour y remédier, on pense qu'il se lestait le corps en avalant des cailloux, comme le font les crocodiles.

Nageoire caudale

La peau était probablement écailleuse comme celle des reptiles terrestres.

PLIOSAURUS

L'un des plus féroces prédateurs marins du Jurassique, *Pliosaurus*, vivait il y a 150 millions d'années. Il mesurait environ 7 m et mangeait des poissons et de petits reptiles marins. Comme tous les pliosaures, il avait un petit cou, une grosse tête et un corps en forme de tonneau. Ses mâchoires imposantes aux dents pointues broyaient les proies.

LE SAVIEZ-VOUS ?

• Ils respiraient de l'air.

• Ils étaient carnivores.

• Les tortues de mer et les Hydrophidés (serpents) sont les derniers reptiles marins vivants.

• Les ichthyosaures étaient vivipares.

D'autres reptiles marins

Plésiosaures et pliosaures, comme
le font les tortues, se traînaient
hors de l'eau pour pondre
leurs œufs sur la terre ferme.
Les ichthyosaures, bien adaptés
à la vie aquatique, vivipares,
ne sortaient pas de l'eau.
Au moment de l'extinction
des dinosaures, tous les reptiles
marins disparurent, à l'exception
des tortues. Leur disparition reste
aussi mystérieuse que
celle des dinosaures.

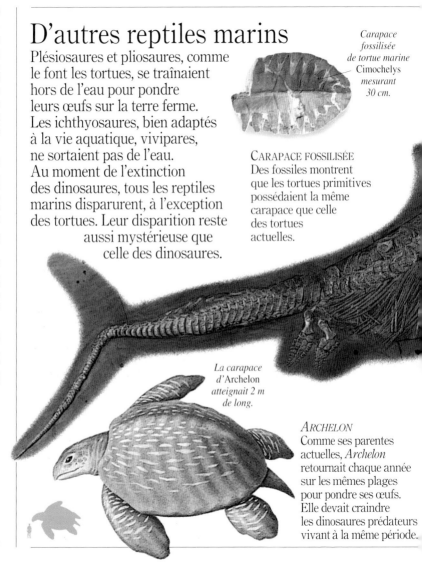

*Carapace
fossilisée
de tortue marine*
Cimochelys
*mesurant
30 cm.*

CARAPACE FOSSILISÉE
Des fossiles montrent
que les tortues primitives
possédaient la même
carapace que celle
des tortues
actuelles.

*La carapace
d'*Archelon
*atteignait 2 m
de long.*

ARCHELON
Comme ses parentes
actuelles, *Archelon*
retournait chaque année
sur les mêmes plages
pour pondre ses œufs.
Elle devait craindre
les dinosaures prédateurs
vivant à la même période.

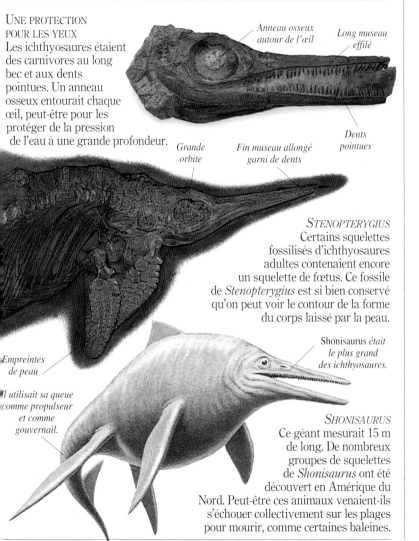

UNE PROTECTION POUR LES YEUX
Les ichthyosaures étaient des carnivores au long bec et aux dents pointues. Un anneau osseux entourait chaque œil, peut-être pour les protéger de la pression de l'eau à une grande profondeur.

Anneau osseux autour de l'œil

Long museau effilé

Dents pointues

Grande orbite

Fin museau allongé garni de dents

STENOPTERYGIUS
Certains squelettes fossilisés d'ichthyosaures adultes contenaient encore un squelette de fœtus. Ce fossile de *Stenopterygius* est si bien conservé qu'on peut voir le contour de la forme du corps laissé par la peau.

Empreintes de peau

Il utilisait sa queue comme propulseur et comme gouvernail.

Shonisaurus était le plus grand des ichthyosaures.

SHONISAURUS
Ce géant mesurait 15 m de long. De nombreux groupes de squelettes de *Shonisaurus* ont été découvert en Amérique du Nord. Peut-être ces animaux venaient-ils s'échouer collectivement sur les plages pour mourir, comme certaines baleines.

LES REPTILES VOLANTS

Les ptérosaures furent les premiers vertébrés volants. Leurs ailes étaient de fines membranes de muscles et de fibres élastiques recouvertes de peau. Longue queue, courte tête et dents pointues caractérisaient les Rhamphorhynchoïdés, groupe de ptérosaures, qui vécurent du Trias jusqu'à la fin du Jurassique.

La queue rigide devait servir de gouvernail en plein vol.

RHAMPHORHYNCHUS
Ce Rhamphorhynchoïdé avait un bec adapté pour attraper les poissons en ratissant la surface de l'eau en plein vol. Les mâchoires étaient armées, à l'arrière d'un bec édenté, de longues dents pointant vers l'avant comme des épines.

Crâne énorme

Longue queue caractéristique des Rhamphorhynchoïdés.

Dents pointues

UN SQUELETTE FOSSILISÉ
Ce squelette fossilisé du Rhamphorhynchoïdé *Dimorphodon* montre la finesse des os et l'énormité du crâne par rapport au reste du corps.

SORDES
Une épaisse couche de "poils" isolants couvrait le corps de *Sordes*. Mais ce pelage ne ressemblait pas à celui des mammifères : il s'était développé à partir des écailles reptiliennes, comme les plumes des oiseaux.

Allongement du quatrième doigt maintenant l'aile.

Dimorphodon *avait une envergure de 1,40 m.*

Aile recouverte de peau

Doigts griffus

Mâchoires très grandes munies de dents pointues.

Dimorphodon, *un des premiers ptérosaures, vécut il y a 190 millions d'années.*

Pattes puissantes probablement utilisées pour marcher et courir.

DIMORPHODON
Chez tous les ptérosaures, les ailes étaient maintenues par le quatrième doigt très allongé. Les trois autres doigts, trapus et griffus devaient servir à escalader les rochers et les falaises.

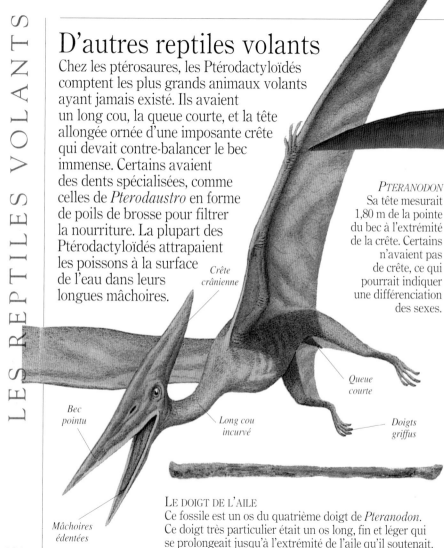

D'autres reptiles volants

Chez les ptérosaures, les Ptérodactyloïdés comptent les plus grands animaux volants ayant jamais existé. Ils avaient un long cou, la queue courte, et la tête allongée ornée d'une imposante crête qui devait contre-balancer le bec immense. Certains avaient des dents spécialisées, comme celles de *Pterodaustro* en forme de poils de brosse pour filtrer la nourriture. La plupart des Ptérodactyloïdés attrapaient les poissons à la surface de l'eau dans leurs longues mâchoires.

PTERANODON
Sa tête mesurait 1,80 m de la pointe du bec à l'extrémité de la crête. Certains n'avaient pas de crête, ce qui pourrait indiquer une différenciation des sexes.

Crête crânienne

Queue courte

Bec pointu

Long cou incurvé

Doigts griffus

Mâchoires édentées

LE DOIGT DE L'AILE
Ce fossile est un os du quatrième doigt de *Pteranodon*. Ce doigt très particulier était un os long, fin et léger qui se prolongeait jusqu'à l'extrémité de l'aile qu'il soutenait.

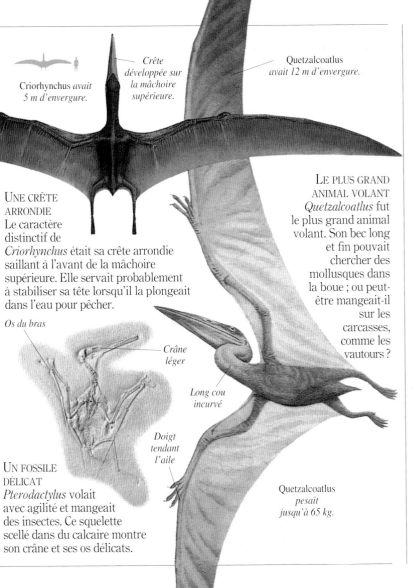

Criorhynchus *avait*
5 m *d'envergure.*

Crête
développée sur
la mâchoire
supérieure.

Quetzalcoatlus
avait 12 m d'envergure.

UNE CRÊTE
ARRONDIE
Le caractère
distinctif de
Criorhynchus était sa crête arrondie
saillant à l'avant de la mâchoire
supérieure. Elle servait probablement
à stabiliser sa tête lorsqu'il la plongeait
dans l'eau pour pêcher.

LE PLUS GRAND
ANIMAL VOLANT
Quetzalcoatlus fut
le plus grand animal
volant. Son bec long
et fin pouvait
chercher des
mollusques dans
la boue ; ou peut-
être mangeait-il
sur les
carcasses,
comme les
vautours ?

Os du bras

Crâne
léger

Long cou
incurvé

Doigt
tendant
l'aile

UN FOSSILE
DÉLICAT
Pterodactylus volait
avec agilité et mangeait
des insectes. Ce squelette
scellé dans du calcaire montre
son crâne et ses os délicats.

Quetzalcoatlus
pesait
jusqu'à 65 kg.

EN SAVOIR PLUS

LES GRANDS DÉCOUVREURS

Pendant des milliers d'années des fossiles de dinosaures ont été découverts, mais c'est seulement en 1841 que les scientifiques les identifièrent et leur donnèrent un nom. Des "chasseurs de dinosaures" devinrent alors célèbres grâce à leurs découvertes.

SIR RICHARD OWEN (1804-1892), paléontologue et anatomiste anglais, il inventa le mot "dinosaure" qui signifie "lézard terrible".

SES DÉCOUVERTES
Au Muséum d'histoire naturelle de Londres, Owen étudiait les fossiles trouvés en Europe. Il comprit que certains étaient des reptiles, mais des reptiles géants inconnus. Il en conclut qu'ils avaient dû appartenir à un groupe d'animaux disparus de notre planète et il les baptisa dinosaures.

DR. GIDEON MANTELL (1790-1852), médecin anglais. Il passa une grande partie de sa jeunesse à prospecter dans les collines où il vivait. La découverte d'un fossile bien particulier fit entrer son nom dans les livres d'histoire.

SES DÉCOUVERTES
En 1820, Gideon Mantell et sa femme Mary Ann trouvèrent parmi les pierres d'une carrière des dents et des os gigantesques d'un animal ressemblant à un iguane. En 1825, il le baptisa *Iguanodon* sans réaliser qu'il s'agissait d'un dinosaure.

DEAN WILLIAM BUCKLAND (1784-1856) eut la première chaire de géologie de l'université d'Oxford, en Angleterre. Dès l'enfance, il fut fasciné par les fossiles.

SES DÉCOUVERTES
En 1824 fut découvert près d'Oxford une dent et un maxillaire géants. Buckland les attribua à un reptile géant inconnu jusqu'alors qu'il nomma *Megalosaurus*, ce qui signifie "gros lézard". Ce fut le premier dinosaure à recevoir un nom. Comme Mantell, Buckland ignorait que *Megalosaurus* était un dinosaure.

JOHN BELL HATCHER (1861-1904) collectionnait les fossiles pour Othniel Marsh. Il est considéré comme l'un des plus grands collectionneurs de dinosaures en Amérique.

SES DÉCOUVERTES
En 1888, il découvrit le fragment d'un gigantesque crâne à cornes, près de Judith River, dans le Montana. Il s'agissait d'un crâne de *Triceratops*, première découverte de dinosaure à cornes, groupe nouveau pour les paléontologues. Il découvrit aussi le crâne du géant *Torosaurus*.

EDWARD DRINKER COPE (1840-1897), né à Philadelphie, aux États-Unis. Génie des sciences naturelles, les dinosaures n'étaient qu'une de ses spécialités.

SES DÉCOUVERTES
Cope se consacra à la science après la guerre de Sécession. Il voyagea d'abord avec son éminent collègue Othniel Marsh, mais ils devinrent des rivaux acharnés. Parmi ses découvertes : plusieurs dinosaures primitifs du Trias, au Nouveau-Mexique. Il a décrit *Camarasaurus* et *Coelophysis*.

OTHNIEL CHARLES MARSH (1831-1899), paléontologue américain né à New-York. Avec E.-D. Cope, il fut l'un des grands pionniers de la chasse aux fossiles de dinosaures aux États-Unis.

SES DÉCOUVERTES
Marsh a découvert de nombreux gisements fossilifères aux États-Unis : Como Bluff (le plus célèbre) dans le Wyoming et d'autres au Colorado. Sa rivalité furieuse avec Edward Drinker Cope fut surnommée "la guerre des os".

EBERHARD FRAAS (1862-1915), paléontologue allemand. La chasse aux fossiles de dinosaures le conduisit en Afrique pour de longues expéditions.

SES DÉCOUVERTES
Entendant parler d'ossements en Tanzanie, il y conduisit une expédition qui exhuma, entre 1909 et 1912, les premiers beaux spécimens de *Kentrosaurus*, *Elaphrosaurus*, *Barosaurus*, et le fameux *Brachiosaurus*, aujourd'hui au Muséum de Berlin qui reste encore le plus grand squelette reconstitué du monde.

GEORGE F. STERNBERG (1883-1969), paléontogue américain. Il trouva son premier fossile à l'âge de six ans et les collectionna pendant 66 ans.

SES DÉCOUVERTES
La plus importante eut lieu en 1908 : il fut le premier à trouver une empreinte de peau de dinosaure qui appartenait à *Anatosaurus*. Parmi ses passionnantes recherches figure le premier fossile d'*Edmontosaurus*.

EDWIN H. COLBERT (né en 1905), expert américain spécialisé dans les dinosaures du Trias. Il fut le premier à trouver des fossiles dans l'Antarctique : on lui doit plusieurs ouvrages sur l'histoire des dinosaures.

SES DÉCOUVERTES
Au Nouveau-Mexique, en 1947, Colbert trouva des squelettes complets de *Coelophysis*. Certains renfermaient dans leur cage thoracique des os de jeunes *Coelophysis* : ils devaient donc être cannibale.

ANDREW CARNEGIE (1835-1819), originaire d'Écosse. Il émigra aux États-Unis avec sa famille à l'âge de 11 ans, et fit fortune dans l'industrie de l'acier, à Pittsburg.

SES DÉCOUVERTES
Carnegie envoya de longues expéditions à la recherche de dinosaures pour le musée qu'il avait créé à Pittsburg, qui rapportèrent deux squelettes complets de *Diplodocus*. Une copie de l'un d'eux figure au Muséum de Paris, une autre au Muséum de Londres.

ROY CHAPMAN ANDREWS (1884-1960) dirigea en 1922 la première expédition américaine dans le désert de Gobi, en Mongolie, avec une équipe du Muséum d'histoire naturelle de New York.

SES DÉCOUVERTES
Andrews et son équipe découvrirent un grand nombre de nouveaux dinosaures dans le désert de Gobi : *Protoceratops*, *Velociraptor*, et *Oviraptor*. Leur découverte la plus intéressante reste les premiers œufs fossiles jamais trouvés : ceux de *Protoceratops*.

EARL DOUGLAS
(1862-1931), Américain
de l'Utah. Il travailla
au Carnegie Museum
de Pittsburg où Andrew
Carnegie, son fondateur,
voulait exposer
des squelettes
de dinosaures géants.

SES DÉCOUVERTES
En 1909, Carnegie envoya Douglas prospecter
en Utah. Douglas y découvrit deux géants,
Diplodocus et *Apatosaurus*, sur un site
qui devint le célèbre Parc National
des Dinosaures.

BARNUM BROWN
(1873-1963),
Américain, engagé
par le Muséum
d'histoire naturelle
de New York pour ses
dons de découvreur
de squelettes
de dinosaures.

SES DÉCOUVERTES
Ses compétences lui valurent le surnom
de "Monsieur Os". C'est lui qui trouva
les premiers fossiles de *Tyrannosaurus
rex* et qui baptisa *Ankylosaurus*
et *Corythosaurus*. On lui doit également les
plus grandes collections de dinosaures
du Crétacé, conservées au Muséum
d'histoire naturelle de New York.

JAMES JENSEN
(né en 1910).
Autodidacte,
il fut conservateur
au Laboratoire
de Paléontologie
des vertébrés
de l'université d'Utah,
États-Unis.

SES DÉCOUVERTES
Jensen a découvert quelques "géants".
En 1972, il trouva les fragments
d'un sauropode qu'il nomma *Supersaurus*.
Ce monstre devait mesurer 16,50 m de
haut. En 1979, il trouva un autre squelette
incomplet, celui d'un sauropode
qu'il appela *Ultrasaurus* et qui semblait
encore plus grand que *Supersaurus*.

WILLIAM WALKER
(né en 1928), carrier
anglais, collectionneur
amateur de fossiles.
En 1982, il fit une
importante découverte
en explorant une carrière
de glaise dans le Surrey,
en Angleterre.

SES DÉCOUVERTES
Walker trouva
une gigantesque griffe qui
se brisa dans sa main dès qu'il
la toucha. Il confia sa précieuse
découverte au Muséum d'histoire naturelle
de Londres qui fit poursuivre les fouilles.
Le nouveau dinosaure dégagé fut baptisé
Baryonyx walkeri, en l'honneur de Walker.

POISSON

CLASSIFICATION DES REPTILES

Toutes les créatures vivantes sont regroupées en fonction de caractéristiques communes, propres à elles seules. Dans le règne animal, les vertébrés, animaux à colonne vertébrale, forment un très vaste groupe. Ce tableau montre la place des reptiles dans le groupe des vertébrés.

POISSON ET AGNATHES

AMPHIBIENS

GRENOUILL

LES VERTÉBRÉS

REPTILES

LES VERTÉBRÉS
Un squelette interne soutient leur corps. Les animaux qui n'ont pas de squelette interne, comme les insectes, sont appelés invertébrés.

MAMMIFÈRES

MAMMIFÈR

RECONSTITUTION DE "LIZZIE"

"LIZZIE"
On a trouvé en Écosse un fossile qui semble être celui du plus vieux reptile du monde : il aurait 330 millions d'années. Ce reptile nommé "Lizzie", mesurait 30 cm de long. Sa peau, écailleuse et imperméable, ressemblait à celle des reptiles actuels.

QUATRE GROUPES
Il existe quatre groupes de vertébrés : poissons, amphibiens, reptiles (incluant notamment les oiseaux) et mammifères. Chacun de ces groupes compte des centaines, voire des milliers de sous-groupes.

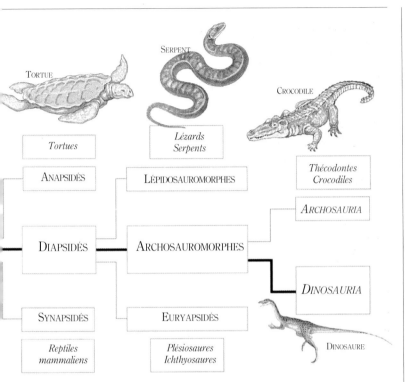

Tortue

Serpent

Crocodile

Tortues

Lézards
Serpents

Thécodontes
Crocodiles

ANAPSIDÉS

LÉPIDOSAUROMORPHES

ARCHOSAURIA

DIAPSIDÉS

ARCHOSAUROMORPHES

DINOSAURIA

SYNAPSIDÉS

EURYAPSIDÉS

Reptiles
mammaliens

Plésiosaures
Ichthyosaures

Dinosaure

LE GROUPE DES REPTILES
Divisé en trois sous-groupes, en fonction du nombre de fenestrations (ouvertures) du crâne, en arrière des orbites : les anapsidés n'en ont pas, les synapsidés en ont une et les diapsidés en ont deux.

LES DIAPSIDÉS
Eux-même divisés en trois groupes : les Lépidosauromorphes lézards et serpents ; les Archosauromorphes, dinosaures, oiseaux et crocodiles ; les Euryapsidés enfin, plésiosaures et ichthyosaures.

LES ARCHOSAUROMORPHES
Les dinosaures appartiennent à ce groupe ainsi que les thécodontes, qui sont peut-être leurs ancêtres. D'autres divisions du groupe des Archosauromorphes comprennent les ptérosaures, les crocodiles et les oiseaux.

Classification des dinosaures

Établie en 1986 par l'américain Paul Sereno, cette classification est controversée et continuellement modifiée. Les dinosaures sont divisés en trois groupes : Herrerasauria (dinosaures prédateurs primitifs), Saurischia et Ornithischia.

On considère aujourd'hui que les oiseaux (Aves) descendent des dinosaures. L'oiseau primitif *Archaeopteryx* avait de nombreux caractères communs avec les théropodes.

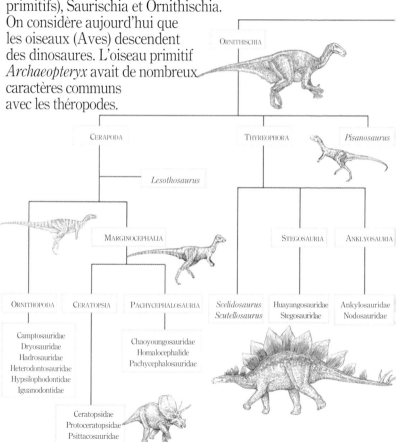

ORNITHISCHIA

CERAPODA — THYREOPHORA — *Pisanosaurus*

Lesothosaurus

MARGINOCEPHALIA — STEGOSAURIA — ANKLYOSAURIA

ORNITHOPODA — CERATOPSIA — PACHYCEPHALOSAURIA — *Scelidosaurus* *Scutellosaurus* — Huayangosauridae Stegosauridae — Ankylosauridae Nodosauridae

Camptosauridae
Dryosauridae
Hadrosauridae
Heterodontosauridae
Hypsilophodontidae
Iguanodontidae

Chaoyoungosauridae
Homalocephalide
Pachycephalosauridae

Ceratopsidae
Protoceratopsidae
Psittacosauridae

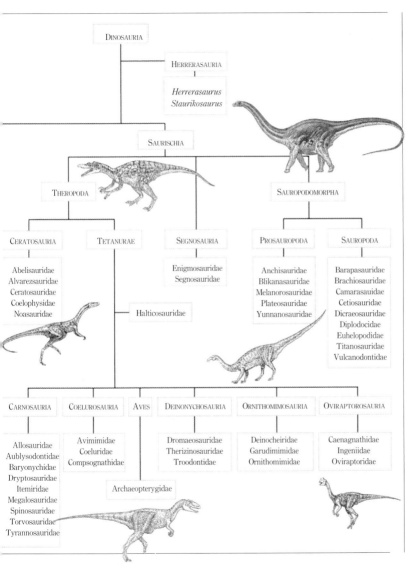

DINOSAURIA

HERRERASAURIA

Herrerasaurus
Staurikosaurus

SAURISCHIA

THEROPODA

SAUROPODOMORPHA

CERATOSAURIA

Abelisauridae
Alvarezsauridae
Ceratosauridae
Coelophysidae
Noasauridae

TETANURAE

Halticosauridae

SEGNOSAURIA

Enigmosauridae
Segnosauridae

PROSAUROPODA

Anchisauridae
Blikanasauridae
Melanorosauridae
Plateosauridae
Yunnanosauridae

SAUROPODA

Barapasauridae
Brachiosauridae
Camarasauidae
Cetiosauridae
Dicraeosauridae
Diplodocidae
Euhelopodidae
Titanosauridae
Vulcanodontidae

CARNOSAURIA

Allosauridae
Aublysodontidae
Baryonychidae
Dryptosauridae
Itemiridae
Megalosauridae
Spinosauridae
Torvosauridae
Tyrannosauridae

COELUROSAURIA

Avimimidae
Coeluridae
Compsognathidae

AVES

Archaeopterygidae

DEINONYCHOSAURIA

Dromaeosauridae
Therizinosauridae
Troodontidae

ORNITHOMIMOSAURIA

Deinocheiridae
Garudimimidae
Ornithomimidae

OVIRAPTOROSAURIA

Caenagnathidae
Ingeniidae
Oviraptoridae

RECORDS ET MYTHES

Notre connaissance des dinosaures évolue sans cesse avec les progrès de la science. Les premiers experts avaient des certitudes qu'aujourd'hui nous savons erronées. Qu'il soit grand ou petit, rapide ou lent, intelligent ou stupide, chaque dinosaure change comme notre savoir progresse.

LES RECORDS
• *Mussaurus*, 20 cm de long, est le plus petit dinosaure jamais trouvé ; il s'agissait peut-être d'un nouveau-né. Le plus petit dinosaure adulte connu, *Compsognathus*, était à peine plus grand qu'un poulet.

• *Dromiceiomimus* devait être le plus rapide des dinosaures : il courait à plus de 70 km/h.

• Le sauropode *Mamenchisaurus* avait le plus long cou : 14 m environ.

• Le plus grand carnivore ayant jamais existé, *Tyrannosaurus rex*, mesurait près de 14 m de long et 6 m de haut. Ses mâchoires puissantes renfermaient des dents de 18 cm.

• Le plus grand de tous les dinosaures était le sauropode *Seismosaurus* : 40 m de long, 50 tonnes.

• Les hadrosaures herbivores avaient jusqu'à 960 dents – plus que tous les autres dinosaures – soit 480 dents sur chaque mâchoire.

• *Troodon* avait le plus gros cerveau par rapport à sa taille.

• *Stegosaurus* avait le plus petit cerveau par rapport à sa taille.

• *Barosaurus* avait la plus longue queue : plus de 13 m.

LES MYTHES

• En 1822, Gideon Mantell reconstitua un squelette, d'après quelques os. Il n'avait qu'un éperon de pouce qu'il croyait appartenir au nez de l'animal, et qui ressemblait à l'épine nasale de l'iguane : il l'appela *Iguanodon*. Il fallut la découverte de plusieurs squelettes vers la fin du XIX⁰ siècle pour prendre conscience de cette erreur.

• En Chine, "konglong" signifie à la fois "dinosaure" et "dragon terrifiant". Les Chinois collectionnent des fossiles de dinosaures depuis 2 000 ans. Depuis le III⁰ siècle après J.-C., et peut-être avant, la mythologie chinoise attribue les os de dinosaures à des dragons.

• On voit souvent des hommes vivant avec des dinosaures dans les films et les livres. Or les dinosaures se sont éteints plus de 60 millions d'années avant l'apparition de l'homme.

• Quelques sauropodes mis à part, c'est une erreur de représenter les dinosaures traînant la queue sur le sol, comme des lézards. Ils avaient une queue rigide maintenue à l'horizontale au-dessus du sol.

• On imaginait *Hypsilophodon* vivant dans les arbres, accroché par les griffes et maintenu en équilibre grâce à sa queue. Nous savons aujourd'hui que ses doigts n'étaient pas faits pour cela.

• Les dinosaures passent pour des créatures gigantesques qui pesaient des tonnes. Or la plupart d'entre eux ne dépassaient pas la taille d'un éléphant et certains n'étaient pas plus gros qu'un poulet et pouvaient être très agiles.

• On croyait que *Brachiosaurus* vivait dans l'eau en raison de la position élevée de ses narines. Mais la pression de l'eau en profondeur ne lui aurait pas permis de respirer.

• *Iguanodon* fut le premier dinosaure reconstitué en lézard lent et mou, traînant son gros ventre par terre ; nous savons aujourd'hui qu'il était

MISE AU JOUR DES DINOSAURES

De nombreuses découvertes sont dues
à des collectionneurs, professionnels ou amateurs.
Une fois découverts, les fossiles très fragiles
ne devraient être dégagés que par des scientifiques
expérimentés, selon une procédure bien définie.

1 LE GISEMENT
Quand un gisement a été localisé,
il faut exhumer les fossiles, délicate
opération exigeant un matériel spécial.

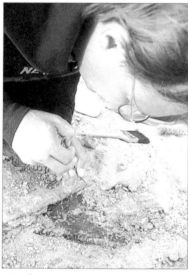

2 L'EXHUMATION
Marteaux, ciseaux et pioches
servent à dégager les restes
de l'animal dans leur gangue.

3 LE NETTOYAGE GROSSIER
Il faut dégager le plus possible
la gangue de sédiments, et manipuler
l'os avec délicatesse pour ne pas
l'abîmer. Les os sont ensuite exposés,
pour les mesurer et s'assurer
qu'aucun fragment ne manque.

5 L'EMBALLAGE COMPLET
Une fois la partie visible
de l'os protégée, on peut dégager
le reste de l'os, y compris la gangue.
On l'emballera à son tour
de la même façon.

4 L'EMBALLAGE DE LA FACE VISIBLE
On enduit de colle la partie visible
de l'os et on l'enveloppe d'une coque
de plâtre et de toile. Une telle protection
est indispensable pendant le transport
vers le laboratoire, où les restes
du dinosaure seront étudiés en détail.

6 LE TRANSPORT
Une grue est parfois nécessaire
pour hisser sur un camion
les "os" emballés.

149

Adresses

Les paléontologues continuent leurs recherches. Chaque nouvelle découverte est étudiée, répertoriée, et parfois exposée dans les musées. Voici des musées et institutions à travers le monde où sont conservés des restes de dinosaures, squelettes, œufs, fossiles, et toutes autres traces pouvant éclairer l'histoire de ces géants.

AFRIQUE DU SUD

Musée Sud-Africain
PO Box 61,
Cape Town,
South Africa 8000

ALLEMAGNE

**Institut Géologique
et Paléontologique**
Université de Münster,
Pferdegasse 3,
D4400 Münster

**Institut et Muséum
de Géologie et
de Paléontologie**
Université de Tübingen,
Sigwartstrasse 10,
7400 Tübingen 1

**Musée Senckenberg
de la Nature**
Forschungsinstitut
Senckenberg,
Senckenberganlage 25,
60325 Frankfurt 1

**Muséum d'Histoire
naturelle**
Université Humboldt,
Unter den Linden 6,
108 Berlin

AUSTRALIE

Musée australien
PO Box A285,
Sidney,
New South Wales 2000

Musée du Queensland
Gregory Terrace,
Fortitude Valley,
Queensland 4006

AUTRICHE

**Musée d'Histoire
naturelle**
Burgring 7,
A1014 Vienne

BELGIQUE

**Institut royal
des Sciences naturelles**
de Belgique
Rue Vautier 29,
B-1000 Bruxelles

CANADA

**Musée canadien
de la nature**
Ottawa,
Ontario K1P 6P4

Muséum Redpath
Mc Gill University,
859 Sherbrooke St West,
Québec H3A 2K6

Musée Royal d'Ontario
Toronto, Ontario M5S 2C6

**Musée de Paléontologie
Tyrrell**
838 Midland Provincial
Park, Drumheller,
Alberta

CHINE

**Institut de Paléontologie
des vertébrés
et de Paléoanthropologie**
Boîte postale 643, Beijing

ÉTATS-UNIS

**Académie des Sciences
naturelles**
1900 Ben Franklin,
PKWY,
Philadelphia,
Pennsylvania 19103

**Musée américain
d'Histoire naturelle**
Central Park West/79th
St, New York,
New York 10024

**Monument national
des Dinosaures**
PO Box 128, Jensen,
Utah 84035

**Musée des Sciences
de la Terre**
Brigham Young
University, Provo,
Utah 84602

**Musée de plein air
d'Histoire naturelle**
Roosevelt Road at Lake
Shore Drive, Chicago,
Illinois 60605

**Musée national
d'Histoire naturelle**
Smithsonian Institution,
Washington D.C 20560

**Muséum d'Histoire
naturelle Carnegie**
4400 Forbes Avenue
Pittsburg
Pennsylvania 15213

**Muséum d'Histoire
naturelle Peabody**
Université de Yale
170, Whitney Avenue
New Haven
Connecticut 06520

FRANCE

**Muséum d'Histoire
naturelle**
6, rue Espariat,
13100 Aix en Provence
tél. 04 42 27 91 27

**Muséum d'Histoire
naturelle**
Place du vieux marché,
76600 Le Havre
tél. 02 35 41 37 28

**Muséum d'Histoire
naturelle**
12, rue Voltaire,
44000 Nantes
tel. 02 40 99 26 20

**Muséum national
d'Histoire naturelle**
Institut de Paléontologie,
2, rue Buffon, 75005 Paris
tél. 01 40 79 30 00

Musée de Zoologie
34, rue Sainte-Catherine,
54000 Nancy
tel. 03 83 32 99 97

GRANDE-BRETAGNE

**Muséum national
d'Histoire naturelle**
Cromwell road,
Londres SW7 5BD

Musée du dinosaure
Icen Way, Dorchester,
Dorset DT1 1EW

Musée royal écossais
Chambers Street,
Édimbourg EH1 1JF

Muséum Sedgwick
Université de Cambridge,
Downing Street,
Cambridge CB2 3EQ

Musée de l'université
Parks Road,
Oxford OX1 3PD

INDE

**Unité d'études
géologiques**
Institut des statistiques
de l'Inde, Calcutta

ITALIE

**Musée municipal
d'Histoire naturelle
de Venise**
S. Croce 1730, 30125 Venise

POLOGNE

**Institut de
Paléobiologie**
Ul. Twarda 51/55
00-818 Varsovie

RUSSIE

**Laboratoire de
Paléontologie**
Saint-Petersbourg

**Institut
de Paléontologie**
Académie des Sciences,
Profsoyuznaya 123,
Moscou 117868

SUÈDE

**Musée
paléontologique**
Université d'Uppsala
751 05 Uppsala

Bibliographie

Si vous désirez approfondir vos connaissances sur ce sujet qui vous est maintenant familier, ou si vous voulez simplement vous distraire en compagnie de ces animaux disparus, que pouvez-vous lire ? Ces quelques titres vous donneront une idée des très nombreux ouvrages qu'ont inspiré les dinosaures.

OUVRAGES GÉNÉRAUX

Buffetant, E.,
Les dinosaures, P.U.F,
coll. "Que sais je ?",
1994.

Buffetant, E.,
La fin des dinosaures,
Fayard, coll. "Le Temps
des sciences", 2003.

De Salle, R., Linday, D.,
*Comment construire un
dinosaure. La science de
Jurassic Park*, Seuil,
coll. "Points", 1999.

Dixon, D., *Les dinosaures
de la préhistoire,*
Larousse, coll. "Du tac
au tac", 1994.

Frankel, C., *La Mort
des dinosaures,* Seuil,
coll. "points", 1999.

Mazin, J. M., *Au temps
des dinosaures,* Nathan,
coll. "Reportages
de l'aventure", 1990.

Michard, J.-G., *Le monde
perdu des dinosaures,*
Gallimard,
coll. "Découvertes", 1989.

Norman, D.,
*La grande encyclopédie
des dinosaures,*
Gallimard, 1993.

Taquet P., *L'empreinte
des dinosaures,*
Odile Jacob, 2000

Whitfield, P., *Guide
des dinosaures
et des autres animaux
préhistoriques,*
Delachaux et Niestlé,
1994.

POUR LES PLUS JEUNES

*L'encyclopédie des
dinosaures et de la vie
animale primitive,*
Gallimard Jeunesse, 2002.

*Le monde des
dinosaures,* Gallimard
Jeunesse, coll. "Mes
premières découvertes",
2002.

Barrett,P., Sanz, J.-L.,
*Dinsaures, les seigneurs
de la terre,*
Nathan, 2000.

Benton M. J.,
*Atlas historique
des dinosaures,*
Autrement, 1998

Benton, M. J., *Les
dinosaures*, Nathan, coll.
"Tout un monde", 1999.

Buffetant, E., Hublin, J.-J., *Les animaux préhistoriques et leurs secrets,* Nathan, coll. "Questions-Réponses", 1985.

Burnie, D., *L'Encyclopédie des dinosaures,* Kingfisher, 2002.

Delafosse, C., Prunier, J., *Les Dinosaures,* Gallimard, coll. "Mes premières découvertes", 1991.

Duranthon, F., Lorain, C., *Les Dinosaures et leurs cousins,* Milan, coll. "Carnets de nature", 1997

Ferrero, E., Harris, N., *Au temps des dinosaures,* Casterman, coll. "Voyage extraordinaire", 2001

Firth, R., *Les dinosaures,* Usborne, coll. "Découvertes Usborne", 2001.

Frattini, S., *Les Dinosaures et leur disparition,* Milan, coll. "les essentiels Milan Junior", 2001.

Johnson, J., *Dinosaures,* Larousse, coll. "Larousse Junior", 2000.

Gontier, J., *Dinosaures,* Nathan, coll. "Tout un monde", 1999.

Les Dinosaures, Larousse, coll., "Ma première encyclopédie", 1993.

Lindsay, W., *Atlas jeunesse des dinosaures,* Seuil, 1992.

Longour, M., *Les Dinosaures,* Nathan, coll. "Megascope", 2001.

Murphy, J., *Le dernier dinosaure,* L'école des loisirs, 1989.

Norman, D., *Le monde fantastique des dinosaures,* Solar, coll. "Animaux", 1993.

Norman, D., Milner, A., *Le temps des dinosaures,* Gallimard, coll. "Les Yeux de la découverte", 1989.

de Panafieu, J.-B., *Mi-oiseaux, mi-dragons, les dinosaures,* Gallimard Jeunesse, coll. "Les Racines du savoir", 2001.

de Panafieu, J.-B., *Les dinosaures,* Hachette, coll. "Explorateur 3D", 2000.

Pasques, P., *Les Dinosaures,* Nathan, coll. "Les Clés de la connaissance", 1999.

Pienkowski, J., *ABC Dinosaures,* Albin Michel-Jeunesse, 1993.

Rolland, C., *Les Dinosaures,* Nathan, coll. "Kididoc", 2000.

Souillat, C., *Dinosaures,* Fleurus, coll. "Encyclopédie Fleurus", 2002.

Theodorou, R., *Les Dinosaures,* Nathan, coll. "Questions-Réponses 6-9 ans", 1994.

Willis, P., *Les Dinosaures,* Larousse, coll. "Larousse explore", 2000.

Glossaire

AMPHIBIENS
Groupe d'animaux
pouvant vivre à la fois
dans l'eau et sur terre.

ANKYLOSAURES
Ornitischiens
quadrupèdes
à armure.

ARCHOSAURES
Grand groupe
de reptiles comprenant
les dinosaures,
les ptérosaures,
les thécodontes
et les crocodiles actuels.

CANNIBALE
Animal qui se nourrit
d'un animal
de la même espèce.

CAUDAL
En rapport avec
la queue.

CÉRATOPSIENS
Ornithischiens
quadrupèdes, dont la
plupart portent un bec
et une corne ou une
collerette osseuses.

CLASSIFICATION
Manière d'ordonner
ou de cataloguer
les animaux en fonction
de leurs ressemblances
physiques.

CRÉTACÉ
Troisième période
de l'ère mésozoïque,
de -65 à -145 millions
d'années.

DÉRIVE DES CONTINENTS
Déplacement des plaques
continentales qui forment
la croûte terrestre.

DIAPSIDES
Groupe de reptiles dont
le crâne possède deux
paires de fenestrations
en arrière des orbites.
Ils comprennent
les dinosaures,
les crocodiles, les lézards
et les serpents.

ÉROSION
Usure et transformation
d'une surface
ou d'un terrain.

EURYAPSIDES
Groupe de reptiles
possédant une seule
fenestration crânienne.
Ils comprennent
deux groupes de reptiles
marins, plésiosaures
et ichthyosaures,
disparus aujourd'hui.

EXTINCTION
Disparition totale
d'une espèce.

FENESTRATION
Ouverture dans la boîte
crânienne.

FOSSILE
Empreinte conservée
de quelque chose
qui a vécu ou d'une trace
de vie.

GASTROLITHES
Petites pierres avalées
par un animal pour
broyer la nourriture
dans l'estomac.

HADROSAURES
Grands ornithopodes,
à bec de canard, divisés
en deux sous-familles,
lambéosaurinés
et hadrosaurinés.

ICHTHYOSAURES
Reptiles marins
du Mésozoïque
qui ressemblaient
à des poissons.

INVERTÉBRÉS
Animaux sans
colonne vertébrale.

ISCHION
Un des deux os de la
hanche du dinosaure
(l'autre étant le pubis),
partant de la cavité
articulaire du fémur, vers
le bas et vers l'arrière.

JUGALES
De la joue. Les dents jugales sont situées à l'intérieur de la joue.

JURASSIQUE
Deuxième période de l'ère mésozoïque, de -145 à -208 millions d'années.

MÉSOZOIQUE
Ère (période de temps), comprise entre -225 et -64 millions d'années, subdivisée en Trias, Jurassique et Crétacé, pendant laquelle vécurent les dinosaures.

ORNITISCHIENS
Dinosaures "à bassin d'oiseau". L'un des deux grands groupes de dinosaures (avec les saurischiens), herbivores, comprenant ornithopodes, stégosaures, cératopsiens, ankylosaures, et pachycéphalosaures.

ORNITHOPODES
Dinosaures ornithichiens herbivores, bipèdes pour la plupart.

OS ROSTRAL
Os saillant et pointu, à l'avant de la mâchoire des cératopsiens.

PALÉONTOLOGUE
Spécialiste de l'étude des fossiles.

PLÉSIOSAURES
Reptiles marins du Mésozoïque aux membres en forme de nageoires.

PRÉDATEUR
Qui se nourrit de proies.

PTÉROSAURES
Reptiles volants du Mésozoïque, lointains parents des dinosaures.

PUBIS
Un des deux os de la hanche du dinosaure (l'autre étant l'ischion), partant de la cavité articulaire du fémur, vers le bas et vers l'arrière.

REPTILE
Animal vertébré à sang froid, qui se reproduit généralement par des œufs.

SAURISCHIENS
Dinosaures "à bassin de lézard". L'un des deux grands groupes de dinosaures (avec les orinitischiens), comprenant théropodes et sauropodomorphes.

SAUROPODOMORPHES
Groupe de saurischiens quadrupèdes herbivores à longue queue et à long cou, comprenant les prosauropodes et les grands sauropodes.

SÉDIMENT
Dépôt naturel de matière, tel que le sable ou l'argile.

STÉGOSAURES
Quadrupèdes ornithischiens à plaques osseuses ou à épines sur le dos le cou ou la queue.

SYNAPSIDES
Groupe de reptiles avec lesquels les mammifères ont une parenté éloignée et dont le crâne ne possède qu'une seule fenestration en arrière des orbites.

THÉCODONTES
Groupe d'archosaures primitifs, ancêtres des dinosaures.

TRIAS
Première période de l'ère mésozoïque, de -208 à -245 millions d'années.

VERTÉBRÉS
Animaux possédant une colonne vertébrale.

Index